IK HEET OLIVIA
EN DAAR KAN IK OOK NIKS AAN DOEN

Jowi Schmitz

Ik heet **Olivia** en daar kan ik ook niks aan doen

Lemniscaat   Rotterdam

© 2011 Jowi Schmitz
Omslagbeeld: Hans Bos
Foto meisje: © Heide Benser/Corbis

Nederlandse rechten Lemniscaat b.v. Rotterdam 2011
ISBN 978 90 477 0349 5

Druk en bindwerk: Wilco, Amersfoort

*Dit boek is gedrukt op milieuvriendelijk, chloorvrij gebleekt en
verouderingsbestendig papier en geproduceerd in de Benelux
waardoor onnodig en milieuverontreinigend transport is vermeden.*

1

Ik heet Olivia en daar kan ik ook niks aan doen.

Ik woon in een boot in de tuin naast de kapsalon. Mijn vader is barbier. Ik ben tien, ik zit in groep zeven en heb een nieuwe beste vriend die Sasha heet.

Op dit moment is alles tijdelijk, dat hebben mijn vader en ik zo afgesproken. We zijn namelijk op doortocht.

Maar zelfs als je op doortocht bent is een beetje ordening nooit weg. De vrijdagavonden zijn tot nu toe het beste gelukt, aan de rest van de week moeten we nog werken.

Op vrijdagmiddag kom ik direct uit school naar de kapsalon. Mijn vader neemt niet, zoals normaal, nog op het laatste moment een klusje aan. Of misschien één klusje, een snor trimmen voor een man die zijn vrouw wil verrassen. 'Een man moet zijn vrouw kunnen verrassen,' zegt mijn vader. Maar niet twee, of drie, of vijf. Zoals normaal.

Een dag van tevoren controleer ik de voorraden en mag mijn vader geen melk meer drinken. Ik kan natuurlijk altijd naar de winkel voor een extra pak, maar het is mooier als het precies uitkomt. Alsof die melk speciaal op dit moment heeft gewacht.

Mijn vader zet zijn koksmuts op, ik de mijne. De spullen liggen klaar op het dek van de boot. Allebei grijpen we een ei en een spatel en daarna gooien we zo snel mogelijk het meel, de boter, de suiker, de melk, de kaneel en het zelfrijzend bakmeel in de kom. Alles stuift en we worden heel erg vies. Dat is de bedoeling.

Als laatste doet mijn vader er een scheutje van zijn bier bij. We gieten het beslag in de cakevorm en stoppen de cakevorm in ons elektrische oventje in de buik van de boot. Daarna gaan we op het dek zitten.

We zeggen niet veel op die vrijdagavonden. Juist niet. We zeggen 'Vroeg donker, hè?' en 'Best frisjes, gelukkig zijn er geen muggen.' We halen jassen voor elkaar.

We bedenken wat we in de lente zullen zeggen. Als we hier tenminste in de lente nog zijn. 'Nog lekker warm hè,' en 'Nog steeds geen muggen, heerlijk.' En ik hoop stiekem dat ik dan ook zo dicht tegen hem aan mag zitten.

We luisteren naar de wind die aan de hoge schutting om de tuin rukt. Mijn vader steekt heel overdreven zijn vinger in de lucht en zegt: 'De wind draait naar het oosten, de winter moet nu toch bijna over zijn.'

Ik zeg met de stem van mijn moeder: 'Doe niet zo raarrrr John.'

Mijn vader heet John en als ik 'Doe niet zo raarrrr John' zeg, moet hij onbedaarlijk huilen. Maar dat klinkt erger dan het is, want mijn vader is nogal een huilebalk.

Ook toen er nog niks aan de hand was huilde hij al om van alles. Als ik hem een zelfgeplukt bloemetje kwam brengen bijvoorbeeld, huppatee, tranen in zijn ogen. Of toen ik leerde lopen. Toen huilde hij volgens mijn moeder bij iedere stap.

Wij vinden huilen gewoon niet erg in onze familie. Ik bedoel, er zijn families waar dat niet mag, huilen, maar bij ons wel. Niet dat ik huil, trouwens, maar het móét dan ook niet. Daar zijn we vrij in. Bovendien huilt mijn vader genoeg voor ons allebei.

Als we hem ruiken, de cake, spring ik op. Altijd vlak voor de kookwekker afgaat. Ik ren heel snel over het dek en klim door het luik de boot in. Even later kom ik met de cake het dek weer op.

'Heerlijk!' en 'Geweldig!' en 'Je hebt jezelf overtroffen!' roepen we dan tegen elkaar. Na ieder twee plakjes kruip ik tegen de warme ronde buik van mijn vader en kijken we naar de lucht boven de huizen.

Onze problemen komen de volgende dag alweer terug, dat haat ik van problemen. Die hardnekkigheid.

Dit is het grootste probleem: mijn moeder is dood.

Dit is het op één na grootste probleem: mijn vader weet het even niet zo goed.

Dat mag natuurlijk best, maar er komt wel veel rommel van. Die moet ik steeds opruimen en ik ben nog maar tien.

Verder zijn er kleinere problemen: de boot is klein. We hebben weinig geld. Mijn vader is herenkapper en kan geen vrouwen, dus heeft hij maar de helft van de wereldbevolking als klandizie. Gelukkig zijn hier aan de rand van de stad best veel mannen die zich het liefst de hele dag laten scheren en knippen. Tenminste, dat zegt mijn vader.

Dan is er nog het nieuwste probleem, dat klein begon maar steeds groter wordt: mijn moeder is gecremeerd en ze zouden de as nasturen, maar ze kunnen ons denk ik niet vinden. Omdat mijn vader het even niet zo goed weet. Omdat ik nog maar tien ben.

's Nachts kan ik vooral van dat laatste probleem niet slapen. Dan hoor ik het klapperen van onze touwen in de wind. Dan denk ik aan ons zeil, dat we nodig moeten hijsen. Niet om mee te varen natuurlijk, we liggen in een tuin, maar omdat het anders net als onze kleren zal beschimmelen.

Dat zijn de dingen die ik dan denk, maar dat komt vooral doordat ik de dingen over mijn moeder niet *durf* te denken. Mijn moeder zit onder mijn gedachten. De hele nacht.

Stom misschien, maar onder mijn gedachten zie ik steeds een beeld: een groene vaas, de urn met mijn moeder erin. Ik weet dat die urn bij ons wil zijn. Dat die as eenzaam is. Ik zei toch stom.

Dus heb ik dit schrift uit de kapsalon gepakt. Het is hoog en smal en er staat *Tresemmé* op de buitenkant en een foto van een vrouw met scheef haar. Er staan rare lijntjes in en langs de rechterkant alle letters van het alfabet. Laatst kwam ik er ook een telefoonnummer in tegen, maar dat heb ik doorgekrast. Ik wil geen nummers in mijn schrift. Ik word toch nooit gebeld.

Volgens mijn vader kan ik beter een beroemd danseres of banketbakker worden dan schrijver.

'Schrijvers zitten in hun hoofd, dat gaat maar zeer doen.'

Hij zegt: 'Liever pijn in je tenen dan in je hoofd.'

Maar mijn vader behandelt hoofden alsof ze elk moment kunnen breken. Alsof het haar dat erop zit de enige bescherming biedt. Waardoor ik dan weer niet snap dat hij het steeds afknipt.

Hij moest lachen toen ik dat zei. En dat is bijzonder, want hij lacht niet zo vaak meer.

2

'Ik ga vandaag maar eens naar school,' zei ik op een ochtend tegen de bundel dekens die mijn vader was. 'Humpf,' zei de bundel dekens.

We slapen heel dicht bij elkaar, want de boot is niet zo groot. Als ik mijn tenen strek kan ik mijn vader over zijn hoofd aaien. Maar daar houdt hij niet van.

Ik pakte mijn tas en vertrok. Ik was wel een beetje bang om te gaan, zo halverwege het jaar. Misschien zouden ze me bij de deur tegenhouden en wegsturen.

Ik had al op de website van de school gezien dat ze een andere lesmethode hadden dan ik gewend was. Maar ik had bedacht dat het voordeel van een andere lesmethode was dat ik sommige dingen misschien al had gehad. Dan wist ik die dus al.

In de kapsalon hadden we nog geen internet, wat lastig was. Gelukkig was de bibliotheek niet zo ver weg en daar had ik op de computer scholen vergeleken. Deze was maar een paar straten verderop. Het was bovendien een school die 'een directe lijn met de leerling' zocht. Dat leek me wel wat.

'Ik kom voor de zevende groep,' zei ik tegen de mevrouw met kort zwart haar en een rode bril die aan twee kanten van haar hoofd een beetje uitstak. Een directe lijn met deze mevrouw leek me vrij vreselijk.

'Ben jij niet een beetje jong voor de zevende groep?' vroeg de mevrouw.

'Nee,' zei ik.

De mevrouw wees me de weg.

'Hebben we een nieuwe?' zei de lerares, die zei dat ze Jenny heette. Ik wist niet zeker of dat haar voor- of achternaam was. Ik had op mijn vorige school namelijk een meneer Jenny gehad, maar die was Indonesisch en deze Jenny zag er beslist niet Indonesisch uit. Toen dacht ik aan de 'directe lijn' en besloot dat het haar voornaam was.

'Tjee, een nieuwe,' zei Jenny nog eens, terwijl het mij nogal logisch leek dat ik nieuw was: ik kende niemand en niemand kende mij. Dan ben je nieuw. Niet voor mezelf natuurlijk, voor mezelf was ik zelfs best oud. Ik had het Jenny zo kunnen uitleggen als ik had gedurfd. Maar het enige wat ik durfde was mijn vriendelijkste glimlach opzetten. Ik zei een beetje pieperig: 'Hallo.'

Ik had mijn geluksjas aan, maar wist niet of die tegen een hele klas tegelijk op kon. Voor de zekerheid zei ik nog een keer: 'Hallo.'

De klas zei niets terug.

'Ga maar naast Sasha zitten.' Jenny wees naar twee tafeltjes dicht bij de deur, waar een jongen over zijn schrift gebogen zat. Alle tafeltjes stonden in rechte lijnen twee aan twee, en behalve Sasha keek iedereen naar mij. Ik was blij met mijn plek: ik hoefde maar een paar stappen opzij te doen en niet langs al die ogen.

Ik zei beleefd: 'Dank u wel.'

'Hij laat scheten,' gilde een meisje met blond engeltjeshaar dat ook vooraan zat, maar dan helemaal aan de andere kant.

'Stil, Milena!' riep Jenny. Maar iedereen lachte toch.

Een jongen die scheten laat, dáár zit ik op te wachten, dacht ik.

Toen ik een beetje treuzelde, zei Jenny 'Hij bijt niet hoor,' en weer moest de klas lachen.

Jenny zei ook een paar keer dat ze het gek vond dat ik niet op 'de lijst' stond, maar ik verzekerde haar dat mijn vader al had gebeld. En dat ik er jong uitzag voor mijn leeftijd. Dan hadden we dat ook meteen gehad.

Ik zei ook dat binnenkort alles duidelijk zou worden. Dat was niet waar, maar het was niet liegen. Want ik hoopte dat echt. Ik hoopte dat binnenkort alles duidelijk zou worden.

Mijn moeder zou het 'bluffen' noemen, vermoed ik, maar zeker weten doe ik het niet. Toen ze het verschil tussen liegen en bluffen uitlegde, was ik namelijk nog klein, zeven of zo. En ze was ook niet altijd even duidelijk.

Dit is wat ze zei: 'Je mag soms bluffen, als je het tenminste zelf maar weet.'

Ik vroeg: 'Waarom moet je dat zelf weten?'

Ik bedoelde: waarom moet ik altijd alles zelf weten? Dat maakt het bluffen een stuk minder lollig. Moeilijker ook, dat je het ene zegt, maar steeds weet dat je het andere denkt.

Mijn moeder lachte. Ze zei dat als je loog zonder dat je het zelf wist, je eigenlijk dacht dat je de waarheid sprak.

Ik weet nog dat ze over een boek gebogen zat met een pen in haar hand. Die stak ze soms zonder na te denken verkeerd om in haar mond, waardoor ze blauwe vlekken op haar lippen kreeg. Mijn moeder was schrijfster, vandaar. Ik boog me ook over dat boek, om haar beter te kunnen verstaan. Ze zoende mijn wang.

Ik vroeg: 'Dus bluffen mag?'

Ze knikte. 'Soms mag het. Als je bang bent om jezelf te laten zien. Dan mag je iets zeggen waarvan je weet dat het niet waar is. Dan mag je anderen in jouw leugen laten geloven. Als jij zelf maar weet dat het niet waar is. Want als jij het vergeet, is er niemand meer die het verschil kan zien tussen jouw waarheid en jouw leugen.'

Dat vond ik een veel te ingewikkelde uitleg voor een klein meisje, maar ik ben hem nooit vergeten. Misschien dat ik hem bewaarde voor later.

Op het eerste gezicht was ik in een uitzonderlijk stomme klas terechtgekomen. Er waren heel veel meisjes en maar een paar jongens, terwijl ik het meestal beter met jongens kan vinden dan met meisjes. Meisjes hebben een hekserigheid die ik haat. Je kan ze nooit eens op hun tenen trappen en dan 'sorry' zeggen. Er moet altijd worden gehuild en gepraat. En als je dan klaar bent met praten, gaan ze alsnog stiekem knijpen.

In het ergste geval ga ik gewoon weer weg, nam ik me voor. Ik heb al genoeg problemen, daar kan geen stomme klas en scheten latende jongen bij.

Maar op dat moment zei Sasha: 'Hoi.'

Ik zei ook: 'Hoi.'

Hij schoof een pen naar me toe. 'Hier,' zei hij. 'Deze schrijft extra lekker. Dus.'

'We hebben een echtpaar!' gilde het blonde meisje.

'Woehoe,' deed de klas.

'Snavel, Milena!' riep Jenny.

Het stomste meisje was natuurlijk ook het mooiste meisje. Ze heette dus Milena en had grote amandelogen. Ze was ook nog eens dapper: ze durfde door Jenny heen te praten, die dan steeds 'Snavel, Milena' riep maar niet klonk alsof ze geloofde dat Milena ook echt haar snavel zou houden. Milena giechelde en haar blonde engeltjeshaar danste.

Nu heb ik altijd al witblonde engeltjeskrullen willen hebben, maar mijn haar is bruin en een beetje slierterig. Het klinkt misschien onlogisch, maar in een boot heb je niet altijd water, dus had ik er een prop van gemaakt, van mijn haar, en die prop met een elastiekje vastgebonden.

Er was nóg een reden voor die prop, maar die vertel ik niet.

'Hoe heet je?' vroeg Sasha.

'Olivia.'

Hij vertrok geen spier. 'Ik heet Sasha en ik ben heel rijk. Dus. Ik heb nog veel meer van dat soort pennen.'

Hij had ook een bladzijde voor me uit zijn eigen schrift gescheurd, want behalve mijn schrijfschrift – dat ik dus echt niet door school ging laten verpesten – had ik niets bij me. Sasha keek net boven mijn hoofd als hij praatte. 'Ik ben heel rijk en we hebben een heel groot huis en een tuin met twee reuzehonden die Kwijltje en Baars heten. Dus.'

'Ik woon in een boot in een tuin,' zei ik. Hij knikte. Bijna had ik eraan toegevoegd dat mijn moeder dood was, maar dat leek me wat veel voor zo'n eerste kennismaking.

Ik keek net als Sasha boven zijn ogen. Hij had bruine stekeltjes, die stijf stonden van de hard geworden gel. Sasha, zei ik vanbinnen. Sasha. Mijn vader had gezegd: 'Kies iemand uit en word er vrienden mee. Zo simpel is het. Kiezen en dan je best doen.' Ik bedacht dat ik bij Sasha wel mijn best wilde doen, zelfs al keek hij me niet recht aan.

'Oké klas,' – de juf klapte in haar handen – 'laten we beginnen.' Ze had nog niet geklapt of de deur ging open. De mevrouw kwam binnen. Ze had haar rode bril op en keek dreigend. 'Ik zoek Olivia Marenburg.'

Toen mijn moeder net was doodgegaan, zei mijn vader: 'Alle seizoenen moeten eroverheen gaan.'

'En dan?' vroeg ik.

'Dan doet het minder zeer.'

'Wat doen we tot die tijd?'

Hij dacht erover na. 'We wachten gewoon even. Net zoals je kan schuilen voor de regen.'

'En dat doen we in die nieuwe stad?'

'Precies.'

We zaten in de boot kleren te sorteren. Mijn vader zei dat ze de as nog zouden 'nazenden'.

Het duurde sowieso een maand voor de as mocht worden verstuurd. 'Dat is wettelijk bepaald,' zei mijn vader.

We hadden allebei een doos tussen onze benen, waar we kleren uit haalden. Ik legde mijn spijkerbroeken en shirts in nette stapeltjes op de grond. Mijn vader legde zijn spullen in de kombuis. 'Kombuis' is boots voor keuken. Volgens hem hadden we de kombuis niet nodig. 'We hebben een keuken in de nieuwe kapsalon, Hier hebben we genoeg aan het oventje.' Naast mijn kleren stond één doos die we onuitgepakt lieten. Daar zat de rode jurk van mijn moeder in. Een hele doos voor die jurk alleen.

14

Ik vond het jammer dat we weggingen uit ons huis, zelfs al was het erg leeg zonder mijn moeder. We aten sinds ze ziek was geworden vaak bij oma en opa. Hoewel er heus wel eens een verkoold stukje tussen het eten zat en mijn opa vond dat we ons 'nette goed' aan moesten op zondag, vond ik het er fijn. Zeker omdat mijn vader de rest van de tijd alleen maar huilde. Ik bedoel, we zijn een tolerante familie en vinden het niet erg als er eens een keer iemand huilt, maar zoveel gesnik begint je op een gegeven moment toch op de zenuwen te werken.

Ik had gehoopt dat we op zijn minst zouden wachten tot de urn kwam. Maar mijn vader kon niet wachten, zei hij.

'Vind je het erg? Ik wil zo heel graag weg van hier.'

'Natuurlijk niet,' zei ik.

Ik had nooit ergens anders gewoond dan in het kleine dorp in Friesland. We woonden om de hoek van de ouders van mijn moeder. Mijn vader had voor zover ik wist geen ouders. Hij praatte er in ieder geval nooit over.

Mijn opa en oma waren met mijn moeder in het dorp komen wonen toen mijn moeder al een puber was, en ze werden nog steeds 'import' genoemd. Alsof ze pas gisteren waren gekomen. Ik woonde er vanaf mijn geboorte en kende alle kinderen, maar de meesten hoorden bij een strenge kerk en mochten niet met me omgaan. De andere mensen uit het dorp vonden ons raar: een schrijvende moeder en een knippende vader. Het is dat mijn vader zo goed was en mijn moeder in het hele land mensen kende, anders hadden we geen klanten en geen vrienden gehad.

Tot nu toe had ik het niet erg gevonden om raar te zijn. We

waren een gezin. Een gezin dat zich niks aantrok van dat soort mensen. Maar ik had ontdekt dat je met zijn tweeën geen gezin meer bent. Eerder twee verdrietige maatjes. Weggaan voelde dus een beetje als een opluchting. Dan hoefde ik ook al die beleefde 'gecondoleerds' niet meer te horen.

Dus zaten we drie weken na de crematie in de boot. We hadden het erover dat we de as zelf gingen verstrooien. Officieel mocht je niet zelf de as verstrooien, maar je kunt de wet niet altijd volgen, zei mijn vader. We zouden nog bedenken waar en wanneer – ik denk dat toen de tijdelijkheid begon.

Ik praatte wel mee over het verstrooien van as, maar eigenlijk kon ik me er niks bij voorstellen. Mijn vrolijke altijd zingende moeder in een potje. Haar lichaam van as. Ik geloofde liever dat de mensen van het uitvaartcentrum wat as van een kampvuur in een potje zouden scheppen en dan net gingen doen alsof zij dat was. Zodat iedereen een beetje houvast had. Mijn moeder zelf was opgelost in het niets.

'Kampvuuras,' zei ik en keek naar mijn vader. Hij zat met twee ongelijke sokken in zijn hand te huilen. Zijn schouders schokten, maar hij maakte nauwelijks geluid. Zo zag zijn ergste verdriet eruit.

Ik ging bij hem zitten om zijn hand te aaien. Soms ging hij de hele dag door. Alsof hij heel erg de hik had.

'Niet zo stom doen hoor,' zei ik. Want dat soort dingen zeiden we sinds de crematie tegen elkaar. Terwijl we eigenlijk het tegenovergestelde bedoelden. We hadden het ook over 'sinds de crematie', niet over 'sinds mamma dood is'.

Meestal zeiden we alleen maar 'sinds', dat vonden we allebei prettiger.

'Je bent zelf een stommerd,' snufte mijn vader. En toen hield ik hem heel stevig vast.

Zelf heb ik nog steeds niet gehuild. Vooral als ik wakker word lijkt het of mijn hoofd in een kussen vol ganzenveren zit. Best lekker eigenlijk. Ik voel gewoon niet zoveel, maar tegelijkertijd ben ik bang dat dat ook tijdelijk is. Dat zich achter die veren steeds meer tranen ophopen totdat ik op een dag verdrink in het zoute water. Waarschijnlijk als alle seizoenen eroverheen zijn gegaan.

'Olivia Marenburg,' zei de mevrouw met de rode bril. De klas was stil geworden en keek naar mij. Ik ging naast mijn bank staan: dat had ik op mijn vorige school geleerd. Hier was dat blijkbaar niet normaal, want de klas begon te grinniken.

'Snavel, Milena,' deed Jenny, maar Milena was zeker niet de enige.

De strenge mevrouw stak haar hand naar me uit. Ik liep naar haar toe en schudde die stevig, zoals ik van mijn moeder had geleerd.

'Ik ben Olga Breedveld. Het hoofd van deze school. Je vader heeft net gebeld en alles uitgelegd.'

Laat haar nu niet vertellen van mijn moeder! Als ze het nu zegt, word ik overspoeld door een zee. Kan ik misschien niet meer staan, val ik om, kan ik hier nooit meer terugkomen.

'Fijn, mevrouw, dat is prettig,' hoorde ik mezelf zeggen. Het moest 'Hee bedankt Olga' zijn natuurlijk, door die stomme directe lijn, maar toen had ik het al gezegd. De klas lachte me uit terwijl Olga haar gezicht in een beleefde welkomstglimlach trok. Ik kon zien hoe moeilijk dat was. Ze had het soort mond dat het liefst in een streepje stond, heel anders dan de mond van mijn moeder – niet aan mijn moeder denken.

De mond zei 'Welkom' en sloot zich meteen weer, alsof de lippen per direct vastgeniet zaten.

Ik ging zitten, mijn hoofd bonkte, het hoofd vertrok en het duurde een paar minuten voor Jenny de klas stil had.

Sasha zat over zijn schrift gebogen en keek niet op.

Ik keek naar mijn pen.

'Rekenen', zei Jenny, 'is ontzettend belangrijk.'

Ze schreef een som op het bord.

'Als ik je moet helpen...' fluisterde Sasha.

Ik schudde mijn hoofd.

'Je zegt het maar,' fluisterde hij. En zo werd hij mijn nieuwe beste vriend.

3

Heb je wel eens aan een wedstrijd meegedaan? Je hebt je tekening ingestuurd en het kan nog maanden duren voordat je de uitslag krijgt, maar toch kriebelt het elke dag in je buik als je een bestelbusje vol pakjes ziet rijden. Ik had zo'n wedstrijd wel eens gewonnen met een tekening van de tuin van opa en oma. Mijn prijs was briefkaarten met mijn tekening erop en een map om mijn tekeningen in te stoppen. Hoewel ik dit keer aan geen enkele wedstrijd had meegedaan, voelde ik die eerste tijd in de nieuwe stad ook kriebels als ik een busje zag.

Ik werd er elke dag mee wakker. Elke dag klom ik stilletjes uit de boot om mijn vader niet wakker te maken en sloop ik op blote voeten door de tuin naar de keuken van de kapsalon. Ik sloop tot aan het raam en keek of er een busje voor de deur stond, of dat er post op de grond lag. Ik sloop terug naar de keuken. Tegen die tijd had ik ijskoude voeten, maar dat zag ik als training. Ik moest leren een beetje tegen het leven te kunnen.

De keuken was klein en hoog. Er zaten tegels op de wand, net als in een zwembad. Boven in de hoeken hingen spinnenwebben. Mijn vader zou ze nog weghalen, later.

Naast de keuken was een smalle gang met een kwartjestelefoon die tussen twee deuren in hing. De eerste deur was de wc, de tweede de douche. Na het douchen maakte ik koffie voor mijn vader. Ook belegde ik wat boterhammen – als er beleg was. Mijn vader vergat nogal vaak boodschappen te doen, maar brood was er altijd genoeg. Dat aten we 's ochtends, 's middags en 's avonds. Turks brood: de bakker was vaste klant in de kapsalon.

Met de koffie en het brood klom ik terug de boot in – ik werd steeds beter in de hoge wiebelige trap. Ik ging naast mijn vader zitten en hield de koffie onder zijn neus tot hij zijn ogen opendeed.

We zaten naast elkaar op het brood te kauwen net zo lang tot de wekker van mijn vader ging. Dat was voor mij een teken om mijn tas te pakken en voor hem een teken om op te staan. Heel vaak wilde ik hem vertellen van die kriebels, maar ik deed het nooit. Het was te fijn om daar met hem te zitten en te eten zo vlak voor de dag begon.

's Middags als ik uit school kwam was hij altijd druk aan het werk. De kapsalon was lichtblauw en rook naar lotion. Eerst was de kapsalon geelwit. 'Aanslag,' zei mijn vader, 'van jarenlang roken.' Hij was meteen gaan schilderen en twee dagen later was alles lichtblauw. De stenen vloer zat vol blauwe stippen.

Het liefst zat ik in een van de twee tandartsstoelen die voor de grote spiegels stonden. Anders zat ik op het houten wachtbankje. Als het rustig was, vertelde ik wat Jenny op school had verteld. Of wat Milena nu weer had uitgehaald, want ze haalde elke dag wel iets uit.

'Ze moeten dat kind eens wat liefde geven,' bromde mijn vader toen ik voordeed hoe debiel ze een hele pauze lang achter de toezichthouder van het plein aan was gelopen.

'Alsof liefde helpt.' Ik rolde met mijn ogen. Volgens mij was er echt wel meer voor nodig om Milena aardig te maken. Een grote pukkel op haar neus, bijvoorbeeld. Of dat ze ergens slecht in was. Vreselijk irritant dat ze knap was en ook nog eens alles kon.

Ook tijdens ons kappterspraatje keek ik die eerste tijd steeds naar buiten of er al een busje stopte. De kriebels. Ze voelden wel anders dan bij een tekenwedstrijd, natuurlijk. Een urn is nou eenmaal niet iets om je op te verheugen.

Met een échte beste vriend had ik er wel over kunnen praten. Maar die had ik niet. Sasha mocht dan in deze stad mijn nieuwe beste vriend zijn, hij was nog te vers, en bovendien een jongen. Met een jongen kon je slootjes springen, computerspelletjes spelen of een wedstrijd ver spugen doen. Een échte beste vriend, dat was anders.

In Friesland had ik Fettie. Fettie woonde een paar huizen verderop.

Ik zag haar een paar keer per week na school. Dan zat zij meestal al op de elektriciteitskast die tussen onze huizen in stond, ik kwam aanlopen en sprong soepel naast haar op die kast. Hij was vrij hoog, dus je moest je goed afzetten. Allebei je handen tegen de kast en dan je kont als het ware achterwaarts omhoog. Eigenlijk was het een wonder dat Fettie, die altijd jurkjes droeg, zo goed op die kast kon springen.

Als het misging moest je doen alsof dat de bedoeling was en tegen de kast geleund blijven staan. Maar zitten was veel prettiger.

Als ik eenmaal naast haar zat, zei ze: 'Gaatie?' En dan zei ik: 'Best.'

Fettie had kort wit haar en haar jurken lieten haar dunne bruine armen en benen bloot. Pas als het écht koud was, deed ze een maillot en een jas aan.

Zelf droeg ik spijkerbroeken. Wie wel eens met een jurk aan slootje heeft gesprongen snapt waarom.

Soms kwam er een auto voorbij en dan zei Fettie: 'Waar gaan al die mensen toch naartoe op deze wereld?' En dan zwiepten we onze benen van voor naar achter. *Boink boink boink* op de kast.

Ik vroeg haar een keer of je iemand anders dan jezelf zou kunnen worden. Niet dat ik dat speciaal wilde, maar ik was benieuwd of het kón. Of je de wereld net iets anders kon maken. Fettie dacht na. We zwiepten onze benen van voor naar achter. 'Ik zou gewoon beginnen met oefenen,' zei ze ten slotte. Simpel maar slim. Beginnen kon ik wel. Ik ben altijd goed geweest in beginnen.

Met Fettie had ik over de urn van mijn moeder kunnen praten. Maar Fettie was plotseling verhuisd, net toen mijn moeder begon dood te gaan. Ik had haar nog een keer gebeld, maar dat ging eigenlijk niet. Door de telefoon heen kon ik haar bruine armen niet zien. Haar witte haren, haar ogen die in de verte staarden.

Ik ontdekte dat zwijgen over de telefoon iets heel anders is dan zwijgen als je naast elkaar op een elektriciteitskast zit.

Nu probeerde ik me te herinneren hoe Fettie en ik vrienden geworden waren. We moesten om dezelfde dingen lachen, dat was misschien het begin. Dus bedacht ik 's ochtends iets grappigs om te zeggen, maar zodra ik naast Sasha ging zitten dacht ik: stom. Of: laat maar. Soms keek Sasha dan op en zei hij 'Wat?' en dan zei ik: 'Niks.' Of ik haalde mijn schouders op. Alsof hij een berg was en ik niet genoeg klimspullen bij me had.

Wat ik wel deed, was genieten van mijn pen. Ik gebruikte hem zelfs om in mijn Tresemmé-schrift te schrijven. Dat zei ik niet tegen Sasha, nog niet, maar als we betere beste vrienden zouden zijn kon ik het alsnog vertellen. Dat hij wat mij betreft al veel eerder mijn échte beste vriend was. Dat het al was begonnen met zijn pen.

De eerste vrijdagmiddag van mijn eerste week op school liet Jenny me nablijven. Het liefst was ik meteen naar huis gerend voor de cake, maar ik had de sommen die ze had opgegeven allemaal fout gemaakt. Daarom was het belangrijk dat ik wat extra huiswerk deed, zei ze. Nog meer huiswerk.

Ik zat een beetje naar Jenny te knikken terwijl ze me uitlegde wat ik allemaal verkeerd had gedaan en dacht: het is tijdelijk. Dat weet Jenny niet, maar ik hoef geen nieuwe manier van rekenen te leren, want we zijn straks toch weer weg. Het is nu eind februari. Misschien tot de lente. Niet langer.

'Begrijp je?' Jenny keek me vriendelijk aan en voegde eraan toe, alsof dat heel normaal was: 'Maar het is natuurlijk ook niet makkelijk voor jou met je moeder en alles.'

Alsof iemand een bak ijswater over mijn hoofd gooide. Mijn vader had het natuurlijk aan Olga verteld, en Olga aan Jenny. Ik zag het voor me, hoe ze hadden staan smoezen in de hal bij de lerarenkamer.

'Die Olivia, die heeft het ook niet makkelijk met haar moeder en alles.'

Jenny zat me vol verwachting aan te kijken, alsof ik juichend zou opspringen. 'Wat een leuk onderwerp, laten we dáár eens over gaan praten. Kom, we gaan iedereen vertellen dat mijn moeder dood is!' Nooit. Nooit.

Ik stond op. 'Dank u wel mevrouw,' zei ik in plaats van 'Bedankt Jenny,' en voordat ze nog meer kon zeggen was ik de klas al uit. Ik rende zo hard ik kon de hoek om en nog een hoek om en weer een gang door, en uiteindelijk moest ik wel stoppen omdat ik geen adem meer had. Ik liet me tegen een muur vallen waar een rij haken voor jassen aan zat. Eentje prikte in mijn rug. Ogen dicht, diep ademhalen. Maar niet te lang stil blijven staan. Als ik langer bleef staan, zou de zee me inhalen. Verder rende ik. De school was leeg. Mijn voetstappen weerkaatsten in de gang, ik wist niet goed waar ik was. Het stonk naar stomme kinderen.

Ik zag een deur naar buiten, niet de gewone uitgang. Achter me hoorde ik een klik. Ik draaide me om. De deur waar ik net doorheen was gekomen was in het slot gevallen. Ik stond in een halletje, ingesloten door twee dichte deuren. De deur die net was dichtgevallen had geen klink. De buitendeur had een balk. Op die balk stond ALARM. Ik wist natuurlijk wat dat betekende. Als ik de balk indrukte om naar buiten te gaan, ging in de hele school het alarm af. Ik zag de krantenkop al voor me: *Meisje met dode moeder laat alarm afgaan. Dertig politieauto's voor niets uitgerukt.*

Ik had het heel warm. Straks was iedereen al naar huis. Was dit een uithoek van de school waar nooit iemand kwam. Ging ik dood van de honger.

Ook hier hing een lange rij haken. Ze zaten overal. De school was opgebouwd uit lokalen met hoge ramen van glas zodat je, als je door de gang liep, overal naar binnen kon kijken. Er zaten houten schotten tot buikhoogte en op de overgang tussen raam en schot had een maniakale conciërge die haken gehangen. Voor jassen. Voor tassen. Voor papiertjes. Ik had er al van alles aan zien bungelen.

Een maniakale conciërge – die me zo meteen zou zien. Die hier scholieren ving. Nieuwe scholieren. Nog te nieuw om door iemand gemist te worden. Hij zou me in stukjes hakken en villen. Uit mijn botten zou hij haken snijden, waar kinderen dan weer hun jassen aan hingen.

Ik deed mijn ogen dicht en op dat moment zag ik het gezicht van mijn moeder, dat de hele tijd al onder de oppervlakte zat. 'Het komt wel goed, Krump,' zei ze, alsmaar glimlachend. Ze glimlachte als een gek, die overal in bleef vertrouwen zelfs al viel de wereld uit elkaar.

Ik drukte mijn handen tegen mijn ogen maar ik zag de glimlach van mijn moeder nog steeds. Ik had zin om te roepen. Hou op met dat geglimlach. Stop!

Mijn oogbollen bonkten van het tegen mijn ogen duwen. Ik liet me op de grond zakken. Misschien kon ik mezelf blind duwen. Misschien moest ik dat gewoon proberen. Eerst blind, en dan gewoon keihard verder blijven drukken.

Meisje met dode moeder duwt zichzelf dood.

'Gaat het?'

Ik sprong op. Mijn hoofd bonkte tegen een jassenhaak.

Milena.

Ze stond in de deuropening.

'Ik kreeg de deur niet open.' Ik klonk als een klein meisje.

We liepen samen terug de school in. We bleken vlak bij ons lokaal te zijn. Blijkbaar had ik een rondje gerend.

'Wat doe jij eigenlijk nog op school?' Ik moest me omdraaien terwijl ik het vroeg, want ze nam kleine precieze stapjes waardoor ik voor haar uit liep. Met Milena erbij werd ik een lompe reus. Als wij een schets waren geweest dan had zij veel meer lijntjes.

Milena haalde haar schouders op, waardoor haar mooie blonde haren golfden.

'Ik moest naar Olga. Iets met mijn moeder. Boeien.'

Ik knikte. 'En nu?'

'Nu?' Milena keek strak langs me heen. 'Gaat je niks aan.'

Ik knikte weer, alsof dat een heel redelijke opmerking was.

Bij de uitgang stonden Milena's vriendinnen al te wachten.

'Zeker in 't riool geweest.' Een van de meisjes lachte.

Milena lachte ook. Ze deed opeens heel vrolijk.

'Waar anders zou je haar opvissen,' riep het andere meisje, alsof ik het nog niet snapte.

Milena keek naar mij. 'Ze stinkt ook nogal. De Rat.'

De afgelopen week had ik Milena met haar vriendinnen op een vaste plek op het plein zien staan. Ze hadden van die aanstellerige kleren aan. Met glitters en krullen en belachelijk kleine handtasjes, die ze in hun schooltassen stopten en in de pauze aan hun arm hingen. De twee vriendinnen hadden bovendien nepkrullen om het engeltjeshaar van Milena na te doen. Ze leken wel kerstbomen.

Milena en haar vriendinnen speelden een pauzespelletje. Dat ging zo: er kwam iemand uit een lagere groep voorbij en de meisjes staken hun hoofden bij elkaar. Je zag ze onderling overleggen tot ze zeker wisten wie ze moesten hebben. Dan riep er één: 'Jij daar!' En als het slachtoffer dan verstijfde – want dat deden ze allemaal – zei Milena: 'Leuke roze broek! Nieuw?' Er steeg een golf gelach uit ze op en de lagerejaars rende weg terwijl ze met zijn allen 'Roze broek! Roze broek!' naar zo'n kind bleven gillen. Op die manier had al bijna de hele school een bijnaam.

Gisteren had Milena zich naar mij toe gedraaid en gezegd, terwijl ze heel lief lachte: 'Leuke staart!' Ze bedoelde mijn geluksjas, daar zaten wat stoere slierten aan. Ze kwamen nog uit de periode dat ik cowboy wilde worden, alweer een jaar geleden. Mijn moeder had ze er als verrassing op gezet, en ik droeg hem elke dag.

Milena ging door: 'Echt een leuke jas ja, doet me denken aan een beestje, ook met zo'n staart. Hoe heet het ook alweer. Beetje dik, beetje borstelig.'

'Een rat! Een rat!' Haar vriendinnen vielen bijna om van het lachen.

Ik keek Milena aan. Mijn jas was van mij, daar had zij niets mee te maken. Ik had zin om haar hoofd eraf te bijten. Ik denk dat ze dat zag, want zij keek strak terug. Het werd een kijkwedstrijd. Ik keek niet weg. Ik stortte nog liever dood neer dan dat ik wegkeek. De vriendinnen van Milena lachten en giechelden en riepen 'ratrat', maar Milena zei niks en keek alleen, hoewel ze er irritant lief bij lachte.

Toen ging de bel en iedereen liep naar binnen behalve Milena en ik en die vriendinnen. De vriendinnen werden een beetje zenuwachtig. 'Milena, we moeten. Komopnou. Laat dat kind. Laat die rat.'

Uiteindelijk scheurde Milena haar ogen los. 'Je hebt gelijk. Zo'n vies beest.' Toen liepen ze giechelend naar binnen.

Nu stonden we een dag later na schooltijd voor de deur. Van buitenaf leken we vast gewoon vier meisjes. Vriendinnen, misschien zelfs.

Ik keek naar de grond. Rat. In ieder geval beter dan 'Olijfjewijfje'. Of 'Olivia Koeienvla'.

'De rat heeft een knoop in haar tong!' De meisjes lachten om die goeie Milena-grap, Milena zelf het hardst. Ik probeerde een perfecte tegenopmerking te verzinnen.

Ik verzon niks.

'Kom.' Milena liep voorop, de andere blonde hoofden volgden.

'Als ik in het riool zat, wat deed jij daar dan? Schoonzwemmen?' mompelde ik toen ze allang het schoolplein af waren. Ik hoorde ze lachen in de verte. Om mij waarschijnlijk.

Ik begon naar huis te lopen. Milena had vriendinnen die op haar stonden te wachten als ze moest nablijven. Ik wilde ook zulke vriendinnen.

Op elkaar wachten, dat was vriendschap.

'Het lijkt wel alsof je op de middelbare school zit,' zei mijn vader even later toen ik hem de lijst huiswerk liet zien. Ik had hem niets over Milena en haar vriendinnen verteld. Als hij wist dat ze me Rat noemden, ging hij vast zo hard huilen dat hij niet meer kon werken.

'Wat een huiswerk,' mopperde mijn vader verder, 'kan een kind niet eens meer gewoon kind zijn?'

Ik knikte heftig. Gewoon kind zijn, dat leek me wel wat.

'Heb je al vrienden gemaakt?' Mijn vaders schaar knipte zo snel dat ik het verbazend vond dat hij de toch behoorlijk grote oren van de bakker er niet af knipte.

Ik stak mijn tong uit naar mezelf in de spiegel. Aan Sasha had ik niks. Die holde steeds zodra het pauze werd de klas uit. Geen idee waar hij zich verstopte.

Mijn vader stopte even met knippen om wat haren weg te vegen. Hij pakte de kin van de bakker en duwde die iets omhoog. Musa heette de bakker, en hij praatte altijd met mijn vader over geld of over zijn snor. Elk haartje moest goed zitten, vond hij, en mijn vader vond dat ook natuurlijk. Musa vond scheren en knippen belangrijk. Nu ook: hij keek strak voor zich uit in de spiegel. Hij had echt heel grote oren. Ik keek of er misschien littekens op zaten van een per ongeluk uitgeschoten kappersschaar, maar van waar ik zat was er niets te zien. Misschien aan de achterkant? Ik had zin om zijn oor, die grote flap, te pakken en van dichtbij te bestuderen.

'Waar denk je allemaal aan, meis?' vroeg mijn vader. Hij was bij de bakkebaarden aangeland.

'Ik ben geen meis. Ik ben een schoolslaaf.'

Hij gaf me een tikje op mijn schouder en grinnikte. 'En nu wegwezen. Ik ben bijna klaar, gaan we daarna samen op het dek zitten.'

'Lekker koud op het dek hoihoi,' zei ik en gaf hem ook een klapje op zijn arm, waardoor dat oor er alsnog bijna af ging.

Ik liep naar onze keuken en vond daar in de koelkast meer dan genoeg melk voor de cake. Dat was een goed teken. Bovendien lag er een zak chocolaatjes. Waarschijnlijk van een klant gekregen. Ik proefde een chocolaatje en besloot dat die prima bij de cake zouden passen. We zouden er zelfs een paar door het beslag kunnen doen. Dan maakten we onze vrijdag één keer per maand 'speciale vrijdag'. Dit keer chocolaatjes, de volgende keer marshmallows.

Met Simon hadden we in Friesland ook een keer marshmallowcake gebakken. Simon werkte bij de begrafenisonderneming en was bang voor iedereen. Als je hallo tegen hem zei, rende hij al weg.

Eerst vond ik hem stom, maar volgens mijn moeder waren mensen meestal bang voor de verkeerde dingen. Voor dodelijke beten van weerwolven of voor enorme rampen, dingen die in een normaal leven helemaal niet gebeuren. Dus was het op zich slimmer om bang te zijn voor mensen, zei ze, als je dan toch bang was. 'Die kunnen je pijn doen.'

'Moet ik dan ook bang voor mensen worden?' vroeg ik.

'Nee hoor.' Ze lachte. 'Je moet gewoon niet bang zijn voor pijn.'

Op een dag was mijn moeder naar Simon toe gelopen en had ze iets in zijn oor gefluisterd. Hij keek haar vragend aan, ze fluisterde nog iets en toen lachte hij een beetje. Het was voor het eerst dat ik hem zag lachen. Hij had nogal lange voortanden. Maar hij rende niet weg, wat op zich al bijzonder was, en toen ze wegliep keek hij haar nadenkend na.

'Wat fluisterde je tegen hem?' vroeg ik zodra ze weer terug was, maar ze wilde het niet zeggen.

Daarna werd Simon steeds meer onze vriend. Hij hielp met klusjes in huis toen mijn moeder net ziek was geworden en mijn vader nog te druk was met werken. In die tijd bakten we die marshmallowcake. Gewoon marshmallows door het beslag. Meer roze dan witte, want de witte had ik al opgegeten.

Bij de crematie zei mijn vader snikkend tegen Simon: 'Hoe kan ik je ooit bedanken?'

'Bedank je vróúw,' antwoordde Simon en meteen werd hij rood. Want dat kon natuurlijk niet meer.

Ik at nog een chocolaatje. In de kapsalon hoorde ik Musa vragen of mijn vader straks nog tijd had voor een vriend van hem. Musa was mijn vaders 'reclamebord'. Sinds mijn vader Musa knipte, kwamen er steeds meer vrienden van hem langs. Daarom mocht Musa ook altijd over snorren en geld praten, zelfs al was mijn vader niet geïnteresseerd in geld. 'Je moet pas aan geld gaan denken als je het niet meer hebt,' zei hij altijd. Maar hij zei ook 'Drukte is goed,' want een mannenkapper is goedkoper dan een vrouwenkapper en heeft dus meer klanten nodig. Meestal zei mijn vader ja als Musa vroeg of hij nog een plekje had. Soms zelfs om tien uur 's avonds. Maar nu hoorde ik hem zeggen: 'Nee vriend, ik ga straks met mijn dochter een lekkere cake bakken.' Ik nam weer een chocolaatje.

4

Tijdelijkheid kan wel lekker zijn, dacht ik die avond in bed. Ik had een ronde buik van de cake en de chocolaatjes en mijn vader was nog even aan het opruimen in de kapsalon. Ik lag op mijn rug op bed en tekende met mijn tenen cirkels op het plafond, dat ik kon aanraken als ik mijn benen strekte.

Ondertussen luisterde ik naar het tikken van de touwen in de wind. Mijn moeder zei altijd 'Hier hoor ik thuis,' als ze op de boot was. Niet dat ze daar vaak was. We wilden wel, maar we gingen maar heel weinig zeilen. Dat kwam doordat mijn vader altijd nog een hoofd of een snor moest, en mijn moeder heel vaak nog een stuk wilde afmaken. Maar in Friesland lag de boot vlak bij ons huis, dus gingen we wel eens gewoon een middag naast elkaar op het smalle dek liggen. Om te deinen. 'Het geeft niet dat we niet varen,' zei mijn moeder dan. 'Het is goed dat de boot er ís, dat het zou kunnen als we zouden willen.'

Mijn moeder hield van het tikken en kraken. Aan een zeilboot tikt of kraakt altijd wel iets. In plaats van eng was dat geruststellend – na een tijdje dan, als je wist welke geluiden bij de boot hoorden.

Alsmaar rond gingen mijn tenen, en in de cirkels die ik op het plafond tekende zag ik steeds het gezicht van mijn moeder.

Vooral haar glimlach. Ik begon eraan gewend te raken. Ik

durfde zelfs te denken aan de plek waar die glimlach zich in mijn hoofd had gegrift.

Eerst zaten we in haar ziekenhuiskamer, die vol hing met mijn tekeningen. Ook met origamivogeltjes, want mijn oma zei dat die geluk brachten. Ik zat een origamivogeltje te vouwen en mijn ouders praatten over de kapsalon die mijn vader wilde gaan huren. En over het feit dat mijn moeder morgen zou verhuizen. Ze deden alsof het niet erg was dat ze ging verhuizen. Alsof het zelfs wel prettig was dat ze naar een rustig hospice zou gaan na al die tijd in dat drukke ziekenhuis. Maar ik wist dat je naar een hospice ging als ze in het ziekenhuis niks meer voor je konden doen. 'Dat is zo,' zei mijn vader, 'maar dat wil nog niet zeggen dat ze meteen dood zal gaan. Bovendien heb ik gelezen over een vrouw die al bijna dood was en die toen alsnog, als nieuw, verder leefde.' Mijn vader las nogal veel van dat soort verhalen de laatste tijd. Ook over kinderen die met kattenogen werden geboren, en hoe het zomaar kon dat je hoofdpijn na een avondje drinken niet door de drank kwam maar door buitenaardse wezens.

'Je moet niet alles geloven wat hij zegt,' had mijn moeder al gefluisterd. En ik geloofde ook niet alles. Maar sommige dingen een beetje wel.

Terwijl ik de origamivogel vouwde dacht ik: ik moet herinneringen verzamelen. Niet vergeten. Vooral niets meer vergeten.

Mijn vader had al gezegd dat hij 'daarna' niet in Friesland wilde blijven. Hij had er drie keer voor nodig om uit zijn woorden te komen, omdat hij zo erg moest snikken. Zijn hikken klonken harder dan zijn woorden. Ik zag dat mijn moeder hem over zijn hand aaide: daar hield hij van, als hij over zijn hand werd geaaid.

'Je moet er zo'n ouderwets kappersteken aan de gevel hangen,' zei mijn moeder en glimlachte naar hem.

'Een kapperspaal.' Hij knikte en wilde mij uitleggen hoe die eruitzag. Alsof ik dat niet wist, een rood-blauw-witte zuurstok.

'En van die leren stoelen, die krakend omlaag en naar achteren zakken.'

'Tandartsstoelen!' riep ik. Ze keken even naar mij, toen keken ze weer naar elkaar.

'Ik hou van je handen,' zei mijn moeder, wat er niets mee te maken had. 'Je had pianist moeten worden.'

Mijn vader knikte; ik zag dat hij niet kon praten.

'Het gaat er prachtig uitzien.' Ze aaide mijn vaders harige pianovingers. Snik, deed mijn vader.

En opeens was ik boos. Woedend. 'Dat ga jij helemaal niet zien, stommerd!' riep ik tegen mijn moeder. 'Dan ben je allang dood!'

'Misschien toch geen tandartsstoelen,' zei mijn vader snel. Maar toen rende ik al de kamer uit.

De volgende dag gingen we terug om het goed te maken en voor de verhuizing. Mijn moeder was niet boos, ze glimlachte en gaf me een zoen. Ze had speciaal voor mij haar rode jurk aangetrokken. Omdat ik jarig was.

Haar koffer stond in de kamer. Naast de koffer stond een hele dikke kaars: die had mijn moeder van haar uitgever gekregen. De kaars was één keer aan geweest, toen was de pit in het kaarsvet verzopen.

'Maar je hebt er niks aan,' zei ik.

'Ik vind het een lief cadeau,' zei ze.

We namen een taxi naar het hospice. Ik had de kaars op schoot. Het was gek om mijn moeder rechtop in die taxi te zien zitten in haar rode jurk. Ik was eraan gewend geraakt dat ze lag. Nog gekker was dat ze er helemaal niet ziek uitzag. Een beetje moe misschien, maar niet als iemand die doodgaat.

Ze hadden vast een fout gemaakt. Al die tijd hadden ze gewoon het verkeerde bloed onderzocht, scans van een ander lichaam gemaakt. Mijn moeder was niet ziek. Ze kwam gewoon mee naar huis. Als ik dat hard genoeg geloofde, werd het vanzelf waar. Net als onder water zwemmen: je moest geloven dat je het kon. Onder water zwemmen was me ook gelukt. Dan moest ik toch mijn moeder in leven kunnen houden?

Ik zou straks mijn moeders hand grijpen als we uit de auto stapten. Dan liepen we samen naar huis. Misschien huppelden we onderweg. Omdat zij dat zo leuk vond.

Gewoon naar huis.

Niks zeggen.

Niks zeggen en huppelen.

'Hier is het hospice,' zei mijn vader.

Het duurde even voor mijn moeder uit de auto kwam.

Het duurde ook even voor we in haar kamer waren, ze op haar bed zat, opzij leunde en het bed elektrisch naar achteren liet zakken. Haar rode jurk stond mooi bij de witte lakens. Ik had haar hand niet gegrepen. We waren niet op weg naar huis. Ze lag weer.

Ze zei: 'Krump, kan je ons even alleen laten?'

Ik wist niet goed waar ik naartoe moest en treuzelde op de drempel. Aan het kraken van het bed kon ik horen dat mijn vader bij haar kroop. Ik wist dat ze nu een arm om hem heen sloeg. Ze zei iets wat ik niet verstond. Hij lachte. Een kort lief lachje, dat ik 'sinds' niet meer heb gehoord.

Ik wachtte op de gang.

Het duurde lang. Ik keek naar een poster. Abstract, veel cirkels vooral. Mooie kleuren: bruin, geel, zilverwit, als zand en zee. Het strand in cirkels.

Je kon er iets bij voelen, maar je kon er ook iets anders van maken. Van dat gevoel. Cirkels bijvoorbeeld.

Mijn vader riep me en ik liep mijn moeders kamer binnen. Er hingen hier een stuk minder draadjes aan haar bed. Ik kroop er meteen bij. Ik duwde mijn neus in haar hals en rook hoe lekker ze rook, zelfs door de ziekenhuisgeurtjes heen.

'Sorry van gisteren, mamma,' zei ik nog eens.

'Je bent een snelle,' zei ze, ze aaide over mijn haar. Mijn lange haar, dat ik toen nog los droeg.

Ik wist dat ze glimlachte, ik kon het ruiken.

'Snel kwaad, snel blij. Je was al snel toen je klein was. Je liep snel, je rende snel–'

'Je huilde snel,' zei mijn vader.

'Jezelf zul je bedoelen,' zei ik vanuit mijn moeders nek.

Er stapte een dokter de kamer binnen met een papier in zijn hand. Hij zei: 'Pardon.' En verdween weer.

Mijn moeder keek de dokter niet eens aan. Als mijn moeder aandacht gaf, bestond er niemand anders in de wereld.

'Je lichaam is ook al zo snel. Het zou me niets verbazen als je binnenkort ongesteld wordt.'

Dat leek me vrij belachelijk, want iedereen dacht altijd dat ik nog maar acht was of zo omdat ik een beetje een bol gezicht

heb. Ik fluisterde: 'Mamma, ik ben helemaal niet zo groot.'
Ik had nog steeds mijn neus niet uit haar nek gehaald, maar
ik wist dat ze alweer glimlachte. 'Je mag je dan klein voelen,
maar je lichaam groeit gewoon door. En dat is goed. Een
mens mag best een beetje ruimte innemen. Als het tenminste een leuk mens is. Nooit vergeten, Krump, vanbinnen ben
jij reusachtig.'
Ik rolde me op tot een balletje en probeerde nog verder in
haar te klimmen.
Mijn vader begon ook zijn neus in de hals van mijn moeder
te duwen. Het werd een spel, een voorzichtig spel. We wilden haar natuurlijk niet te moe maken. En alsof het afgesproken was, lachten we ook zachtjes.
'Maar wat ik zeggen wou...' Mijn moeder maakte een bewe-
ging alsof ze iets belangrijks ging zeggen, waardoor mijn
vader en ik haar allebei wat ruimte gaven.
Maar ze begon weer over ongesteldheid te praten en dat ik
jarig was en hoe verjaardagen bij andere volkeren vaak uit
een test bestonden. Zodat je kon bewijzen dat je ook echt
ouder was geworden. Waarom had ze het over andere volkeren? We moesten nu alleen maar Heel Belangrijke Dingen
tegen elkaar zeggen. Dingen die ik mee kon nemen als ik
later groter was. Voor erna. Voor als ze. Voor later.
Mijn vader kwam overeind en drentelde naar het lege prikbord naast mijn moeders bed. Er zaten gekleurde punaises
in. Hij pakte een tas en begon wat van mijn tekeningen op
het prikbord te prikken.
'... maar misschien is maandverband al een behoorlijke in-
wijding. Toen ik voor het eerst ongesteld werd,' zei mijn

moeder, 'wilde mijn moeder, oma, dat ik een soort luier aandeed. Daar liep je helemaal wijdbeens in. Ze verkochten allang inlegkruisjes en maandverband, maar oma vond dat zonde van het geld. Het was veel beter om uitwasbare...'

'Mamma,' zei ik.

'... luiers te dragen. En víés dat ze werden.'

'Mamma!' Ik deed alsof ik ging opstaan, maar ze legde een hand op mijn knie.

'Wist je trouwens dat er ook uitwasbare luiers voor baby's bestaan? Nog steeds. Van katoen. Oma wilde natuurlijk dat ik jou in die dingen zou stoppen. Ik denk dat ze gewoon dacht dat alle kinderen, groot of klein, in luiers moeten rondlopen. Misschien kan je haar eens vragen waarom ze dat dacht. Toen jij net geboren was, deed ik het nog ook. Zo'n katoenen luier. Róód dat je billen waren. En húílen. "Huil maar," zei ik tegen je, "we zijn een tolerante familie."'

'Ik ga even koffie halen,' zei mijn vader en liep de kamer uit. Mijn moeder kneep zachtjes in mijn knie, en toen ze naar me opkeek stonden haar ogen heel verdrietig.

'Lief Krumpie. Dit had ik je nooit willen aandoen. Help me eens even.' Ze wilde dat ik haar hielp opstaan.

Toen ze eindelijk stond, sloeg ze haar armen om me heen. Ze nam me niet in de berengreep, zoals mijn vader wel eens deed, waarbij je zo hard werd platgedrukt dat je geen adem meer kon halen. Ze omarmde me juist licht. Heel dicht bij elkaar en heel zachtjes. Ik hield het maar even vol. Toen moest ik wel wat steviger tegen haar aan gaan staan, om haar beter te voelen. Toen ik naar haar opkeek, glimlachte ze. En die glimlach brandde zich in mijn hoofd.

5

Het verhuizen naar de boot ging heel snel. Wat niet paste, lieten we achter. Opa en oma bijvoorbeeld. Maar ook mijn moeder – nou ja, zij werd nagestuurd.

Toen voeren we weg. Naar de stad. Het was koud, maar ik stond toch op het dek met mijn armen zo wijd mogelijk gespreid. Ik voelde de ijskoude wind door mijn haren en langs mijn lijf. Het was alsof dat zware gevoel dat alsmaar op mijn borst drukte even losliet en voor me uit vloog.

We voeren de hele dag, en toen hadden we nog maar dertig kilometer afgelegd. 's Avonds sliepen mijn vader en ik voor het eerst in de boot, ik kriebelde voor het eerst met mijn voeten in zijn haar en hij zei voor het eerst: 'Olijf, kappen nou.'

Bij iedere haven die we aandeden was er een douche op de kade, meestal aan het kantoor van de havenmeester vast gebouwd. Maar ik ging er nooit heen. Ik vond het eng, met al die onbekende mensen. Vies ook. Mijn haar werd vet en sliertig, dus deed ik er een elastiekje omheen.

'Net kamperen, gezellig hoor,' zei mijn vader dikwijls. Daarna begon hij weer te huilen. Ik aaide hem over zijn hand. Eigenlijk was het een wonder dat we nergens tegenop voeren, want volgens mij huilde mijn vader bijna de hele reis.

Na zes dagen kwamen we aan in deze stad. We legden aan in een haventje niet ver van de kapsalon, die mijn vader van tevoren had gehuurd. De sleutelbos hadden we al per post ontvangen, in Friesland nog. Er was een sleutel van de kapsalon en een grote roestige sleutel van het tuinhek. We kenden de kapsalon en de tuin alleen van foto's, die niet eens allemaal scherp waren. Wel wisten we dat de kapsalon op de hoek van een heel gewone straat lag, als laatste van een rij huizen, met ernaast de hoge schutting die de tuin onzichtbaar maakte. Mijn opa en oma hadden het 'onverantwoord' gevonden, verhuizen naar foto's. Ik vond dat juist fijn, zo'n nieuwe plek die al van ons was nog voordat we hem echt hadden gezien.

Er stond een oud mannetje op de steiger toen we de stad binnen voeren. Ik werd zenuwachtig van hem, waardoor mijn knoop niet lukte, en daar had hij commentaar op. 'Als God je wil straffen, zendt hij je een boot,' zei hij. Hij keek enorm scheel.

'Heeft God dat gezegd?' Ik trok aan het touw dat zich niet in een knoop liet leggen. Het was koud, maar zonnig. Ik zweette.

'Ghe ghe ghe,' lachte het mannetje. Hij kwam een stap dichterbij, ik deed een stap naar achteren. Ik kon hem nu al ruiken; nóg dichterbij en ik zou per ongeluk te diep inhaleren en flauwvallen en achterover in het water donderen.

Er kwamen meer mannetjes aanschuifelen. De meesten zeiden iets over onze boot. Dat ze oud was, maar er nog goed uitzag. Natuurlijk zeiden ze 'ze', want alle boten zijn vrouwelijk.

'Ze is van mijn vrouw.' Mijn vader stak zijn hoofd uit de kajuit en dook meteen weer weg.

'Zijn vrouw, jouw moeder?' vroegen de mannetjes. Ik knikte en deed een nieuwe poging tot een knoop.

Mijn vader bleef maar weg, hij liet het dus aan mij over om alle volgende vragen te beantwoorden. De stomste – waar ik ook het stomste antwoord op gaf – was: 'Ze heeft geen naam. Toch? Ik zie geen naam. Hoe heet ze dan?'

Zonder na te denken zei ik: 'Mamma.'

Toen ze uitgelachen waren, gingen ze door met vragen stellen. Wanneer ze gebouwd was en waar en hoe lang ze al in het water lag en hoeveel knopen ze ging en of we wel vaak genoeg de zeilen hesen omdat het anders ging schimmelen, zo'n zeil.

Ze zeiden dat we er, als ze lek raakte, een stuk vlees op moesten leggen. Op het gat. 'Op het gat van de boot dan hè, niet van je moeder. Ghe ghe ghe.' En ik dacht: het is maar goed dat mijn vader jullie niet hoort. Hij zou jullie finaal in elkaar meppen. Die laatste tandjes eruit. Het is maar goed dat jullie niet weten dat mijn moeder dood is. Anders zouden jullie je rot schamen en zelf al die tandjes uit je mond trekken.

Ik maakte een extra knoop om de paal. Ik stond daar maar buiten en mijn vader bleef maar in de kajuit. De zon scheen en ik zweette en de rugzak op mijn rug maakte mijn T-shirt nat. We zouden snel aanleggen en dan op verkenningstocht gaan, dat hadden we afgesproken. Alleen de Belangrijkste Dingen gingen mee. 'Belangrijkste Dingen moet je in de gaten houden,' zei mijn vader.

De mannetjes zeiden: 'Ken je de Schele Nelie?'

'Ghe ghe ghe,' deed het schele mannetje, 'eigen uitvinding.'

Hij stapte naar voren, haalde zomaar mijn knoop eruit en

legde de zijne erin. Eerst wilde ik niet kijken, maar ik moest toegeven dat het er heel eenvoudig uitzag. We oefenden hem een paar keer. Daarna wilde Schele Nelie zijn knoop ook in de andere touwen leggen, maar ik zei: 'Nee dank u.' Waarom weet ik eigenlijk niet. Mijn opa was ook goed in uitvinden. Hij had een verbogen paperclip die hij aan een tafel hing zodat het een hanger werd voor zijn jas. En voor zijn gereedschap had hij een kast gebouwd van opengesneden lege wasmiddelpakken.

Mijn oma zei een keer tijdens het eten dat opa vroeger wel een beetje op mijn vader leek. Daar kon ik me niet zoveel bij voorstellen. Mijn opa was lang en dun, mijn vader veel kleiner en ronder.

'Vanbinnen,' zei oma, en opa bromde: 'Ik was vroeger kinderachtig, net als je vader nu.'

Mijn vader keek op van de pastatoren die hij op zijn bord aan het bouwen was en riep: 'Ik ben niet kinderachtig!'

Ik vroeg aan oma hoe het kwam dat opa was veranderd. Ik durfde opa niet aan te kijken. Opa zei: 'Er komt een punt dat je verantwoordelijkheid moet nemen.'

Mijn vader riep heel hard: 'Saai!' en mijn moeder schoot in de lach en verslikte zich, en de rest van de avond waren mijn vader en mijn opa zoals bijna altijd aan het kibbelen.

De mannetjes en ik stonden zwijgend op de kade.

Naast de boot in het water dobberde een grijze gymschoen die ooit wit moest zijn geweest. In een andere hoek dreef een leeg verfblik in een waas van lichtgroen. Ik deed alsof me dat heel erg interesseerde. De mannetjes vonden het blijkbaar minder boeiend, want ze vertrokken een voor een. Het rook naar modder en dooie vis. Schele Nelie bleef als laatste achter, maar ik keek zo nadrukkelijk naar het water dat hij uiteindelijk verdween.

Toen pas stak mijn vader zijn hoofd uit de kajuit. 'Zijn ze weg?' Ik had zin om hem te knijpen.

Het lukte mijn vader bijna niet om op het dek te komen, zo groot was de rugzak die hij meedroeg. We hadden afgesproken dat we alleen maar op verkenningstocht gingen en pas later echt zouden uitpakken, want we wisten nog niet eens waar we zouden slapen die nacht. Maar mijn vader had alleen maar de 'Belangrijkste Dingen' ingepakt, zei hij, die we allemaal 'absoluut' nodig hadden.

Hij pufte en hijgde toen hij op de steiger stond. Ik stond te springen van ongeduld. Maar nee, we gingen nog steeds niet. Hij liep langs de bolders waaraan ik de touwen had vastgeknoopt en zei: 'Zijn dat wel genoeg knopen, denk je, Olijf? Ha ha ha.' Het klonk bijna net zo stom als de oude mannetjes.

Bij het kantoor van de havenmeester zagen we alle oude mannetjes weer, die om een kraan heen stonden. De havenmedewerkers, 'handjes' werden ze door de mannetjes genoemd, waren bezig boten in het water te laten. Schele Nelie kwam naast me staan en legde uit dat het weliswaar vroeger was dan normaal, maar dat er dit jaar een vroege lente was voorspeld en dan wilden de mensen ook vroeg varen. Dus gingen de boten die op de kant hadden gelegen het water in. 'Zij erin, wij eruit,' zei mijn vader. Hij liep langs me heen en ging het kantoor van de havenmeester binnen. Ik liep achter hem aan. Ik begreep het al. We gingen nog lang niet op verkenningstocht. We gingen eerst eindeloos praten.

En inderdaad: hoewel het een uur of één moet zijn geweest toen we aankwamen, waren we uren later nog steeds in de haven. Mijn vader dronk alsmaar koffie met de havenmeester en ik ging de 'handjes' een beetje helpen. Ik hielp hen een paar keer de banden om de buik van een boot te leggen, waarna de kraan de banden strak trok en de boot de lucht in ging. Ik hielp ook als de boot bij het omhoog gaan een beetje wiebelde: dan duwde ik tegen de buik. Of dat veel hielp weet ik niet. Ik vond ze mooi, die buiken van boten. Soms bol, soms vrij smal. Ze verdwenen uit het zicht zodra de boot in het water lag.

Laat in de middag werd onze boot uit het water getild en op een trailer gezet. De 'handjes' spoten zo veel mogelijk groene smurrie weg en lieten de mast zakken, die nog een heel eind achter de zeilboot uitstak. Toen stapten we in een jeep die mijn vader van de havenmeester mocht lenen.

Ik vond het best spannend, met een jeep door een vreemde stad rijden met een zeilboot achter ons aan. Aan het puntje van de mast hadden we een rood T-shirt gehangen.

Mijn vader reed heel langzaam en zat naar voren gebogen, met zijn neus bijna op het stuur. Aan het spiegeltje van de jeep hing een plastic zeilbootje, dat met alle hobbels mee bewoog. Ik wilde het vastpakken, maar zag toen dat het zo'n geurverfrisser was. Die er waarschijnlijk al een tijdje hing, want erg fris rook het niet.

'Goed opletten, Olijf.' Mijn vader had mij een papiertje in handen geduwd met aanwijzingen waar de kapsalon moest zijn. Het was gelukkig niet heel erg moeilijk: eerst een tijdje rechtdoor, daarna wat kriskras door de stad en daarna een paar keer vragen.

'Hier.' We waren er.

Ik sprong uit de jeep en haalde diep adem.

De kapsalon lag op ons te wachten op de hoek van de straat, met ernaast de hoge schutting en het hek. Er hing een hangslot aan het hek en het duurde even voor mijn vader dat open had. Daarna moesten we nog heel hard tegen het hek duwen om het ver genoeg open te krijgen. Op straat begonnen auto's te toeteren. 'Boten hebben voorrang,' mompelde mijn vader. Het stuk land achter het hek lag vol met zand en troep. Mijn vader zweette, ik ook. Op straat waren er nu mensen uitgestapt om naar ons te kijken.

In het echt was onze nieuwe plek anders dan de foto's. Het zag er niet alleen anders uit, het voelde ook anders. Een steen kraste mijn hand toen ik hem oppakte en ik rook de lucht van honderd honden die tegen het hek hadden gepiest. Waarschijnlijk had er op die plek een huis gestaan, lang geleden. Daarna was het terrein een tijdje als vuilnisbelt voor de buurt gebruikt, want er lagen wel twintig vuilniszakken, die voor een deel waren opengescheurd. Verder zag ik vooral zand en aarde, met hier en daar een struikje.

'Hoera, een tuin,' zei mijn vader. Het was zijn eerste grap sinds we in de stad waren aangekomen en ik lachte zo hard mogelijk. Ik had heus wel gezien dat niet alleen zijn hoofd rood was, maar ook zijn ogen.

Het eerste deel van het stuk land was redelijk vlak, daarop parkeerden we de trailer. Daarna moest de boot van de trailer af, maar dat ging niet. En zelfs al kon ze eraf, dan zou ze moeten worden ondersteund, want zeilboten hebben een kiel en geen platte bodem: ze kunnen dus niet op zichzelf staan. We dachten erover om een gat in de grond te graven, maar dat zou gaan wiebelen, en bovendien zag de grond er nogal hard en stenig uit.

Uiteindelijk besloot mijn vader de boot op de trailer te laten. 'Kunnen we ook makkelijker weg.' Daar was ik het enorm mee eens.

Vroeg de volgende ochtend brachten we de auto terug en vroegen we de havenmeester of we de trailer mochten kopen. Dat mocht. Mijn vader dronk nog een uur koffie om de koop te vieren. Ik liep wat rond door de jachthaven. Schele Nelie was nergens te bekennen, maar zijn knoop zag ik bijna overal.

We lieten de jeep in de haven achter en gingen met de tram terug naar ons voorlopige nieuwe thuis, waar we al een stukje dag en een hele nacht hadden doorgebracht.

Ik kon niet stoppen met praten. 'Zie je die winkel, pap, en dat reclamebord? Een snackbar! Een snackbar, mogen we straks patat?'

Ik las alle reclame hardop voor, tot mijn vader begon te kreunen en zei: 'Olivia, alsjeblieft.'

Toen hield ik mijn mond, maar mijn hoofd stopte niet. Zou een boot in een tuin anders wonen dan een boot in het water? Eigenlijk kon ik dat niet echt vergelijken, want ik had nog maar zes dagen tijdens de reis op het water gewoond. In Friesland had ik een eigen kamer, een eigen kast en een grote kist in de kelder waarin ik me uren kon verstoppen terwijl mijn ouders 'Olijf! Olijfje!' roepend door het huis liepen. Waarom ze er nooit meteen aan dachten om in die kist te kijken, was me een raadsel. En toen ik er eenmaal achter kwam, was ik meteen te groot geworden om verstoppertje te spelen met mijn ouders. Dat was ongeveer rond de tijd dat ik ook begon te vermoeden dat Sinterklaas niet helemaal pluis was. Dat vond ik jammer: ik hou namelijk erg van sprookjes. Ik bedoel, het líjkt leuk om de geheimen van je ouders door te krijgen, maar eigenlijk is er daarna niks meer aan. De waarheid is meestal nogal saai.

'Denk je dat we in de modder zullen wegzakken?' vroeg ik op het moment dat de tram luid piepend een bocht maakte. Mijn vader keek uit het raampje, in zijn vuist had hij onze kaartjes.

'Als het te hard regent, zakt de trailer het eerste weg in de modder,' zei ik nog eens, 'en dan lijkt het net alsof de boot over land vaart. En als we dan nog verder wegzakken, verdwijnen we in de aarde.'

Mijn vader hield de kaartjes zo stevig vast dat zijn knokkels wit waren.

'Misschien zakken we nog wel verder weg, door de aarde heen. En als we dan aan de andere kant uitkomen, waar zouden we dan zijn? China, zeggen ze, maar we hebben het laatst op school met een wereldbol uitgezocht en toen hebben we ontdekt dat je alleen als je in IJsland door de grond zakt, aan de andere kant ook op land uitkomt. Als wij door de grond zakken, komen we aan de andere kant in een oceaan uit. Wat in ons geval wel weer handig is, ik bedoel, omdat we een boot zijn.'

'We zijn er,' zei mijn vader.

De tram stopte om de hoek. We liepen hand in hand onze straat in. Mijn vader kneep best hard. Bij het hek viste hij de

47

grote sleutel op, hij prutste met het slot. Toen duwde hij het met een overdreven zwierig gebaar voor me open. Ik knikte zo plechtig mogelijk en schreed naar binnen. Mijn vader sloot het hek achter ons en toen stonden we naast elkaar naar onze nieuwe tijdelijke woonplek te kijken.

'Dat wordt een kampvuur.' Mijn vader wees naar een berg hout in de hoek.

'Dat wordt opruimen,' zei ik en wees naar de kapotte vuilniszakken.

We legden stenen voor de wielen van de trailer, zodat hij niet weg kon rijden. Daarna zetten we de mast weer omhoog omdat hij anders bijna de schutting raakte. Mijn handen waren koud en ik vroeg me af waar ik mijn wanten had gelaten, maar kon het me niet herinneren. Ik prikte voor de zekerheid nog een paar keer met een stok in de grond, maar bedacht toen dat als het zou gaan vriezen we er sowieso niet doorheen konden zakken. 'Is februari guur en koud, dan komt er een zomer waarvan je houdt,' zei oma altijd. Ik blies in mijn handen. Twee van mijn vingers waren spierwit. Als die straks warm werden zouden ze prikken.

'Laten we het er maar op wagen,' zei mijn vader, die een hoge trap in de kapsalon had gevonden. Hij plantte de trap in de grond tegen de boot aan. 'Ik zal hem straks met touwens vastzetten.' Hij begon meteen te klimmen.

Ik keek naar de boot. Ze hadden haar schoon gespoten in de haven, maar er zaten nog steeds groene vlekken op. Ze was heel groot in deze tuin. En hoog ook. Als een dunne walvis. Een aangespoelde walvis.

'We wonen in een walvisboot,' zei ik.

Mijn vader stond op het dek en probeerde met zijn koude handen de trap vast te knopen. Ik klom achter hem aan en deed hem een Schele Nelie voor.

'Dat helpt enorm,' zei mijn vader, 'maar heet de boot nou Walvis of Mamma? Want dat hoorde ik je in de haven zeggen.'

'Echt geen mamma!'

Sinds ik jarig was geweest, had ik besloten mijn vader John te noemen. Dus mijn moeder moest Hannah zijn. Of moeder. Moederfiguur, desnoods. Mamma was voor baby's.

'O.' Mijn vader controleerde of alle touwen goed vastzaten. 'Maar we moeten haar wel dopen. Ze zeggen dat een gedoopte boot bescherming biedt.'

Daarna klom hij van de trap, hij liep door de tuin naar de keuken van de kapsalon en kwam even later langzaam teruglopen terwijl hij een verlengsnoer uitrolde. 'Vijftien meter,' zei hij. 'Eigenlijk mag het niet buiten liggen, maar we hebben licht nodig.'

'En een oven,' zei ik.

'Het is maar tijdelijk,' mompelde mijn vader.

Mammaboot. Walvisboot. Het was het allebei niet. Alsof de boot een naam had die ik was vergeten. Ik hoefde het me alleen maar te herinneren.

Als je iets wilt bedenken, zei mijn moeder altijd, moet je het gewoon laten gaan. Dan komt het vanzelf. Ik ging op het voordek staan, precies op de plek waar ik tijdens het varen ook had gestaan, en hoopte maar dat ze gelijk had.

Mijn vader had het verlengsnoer in de kombuis gelegd. Hij kwam naast me staan en sloeg een arm om me heen. We stonden hoog: we konden zo over de schutting de straat in kijken. Rechts van ons was de kapsalon, met erboven nog drie verdiepingen. Alleen op de tweede verdieping brandde licht.

Aan de overkant op straat liep een keurige mevrouw met kleine pasjes voorbij, met naast zich een poedel die al even kleine pasjes nam. Ze zag ons niet, de poedel wel. Die keek heel even, maar dook toen met zijn neus in iets vies dat op de stoep lag. De vrouw trok hem verder.

'Dieren kunnen ons zien, maar voor mensen zijn we onzichtbaar,' zei ik. Mijn vader deed meteen zijn ogen dicht en mompelde: 'Waar is ze nou?' Hij bracht een tastende hand naar mijn koude neus en kneep erin.

'Neehee, elkaar zien we nog wel.'

'O, gelukkig.' Hij kneep nog een keer in mijn neus.

Ik zei: 'Reuze handig dat je die grote rugzak in de keuken van de kapsalon hebt gezet. Die kan je straks de boot weer in tillen.'

'Krump is een grapjas.' Hij deed net alsof hij me omduwde, maar hield me tegelijkertijd stevig vast.

Toen zei hij zachtjes: 'Ik ben blij dat wij hier samen zijn.' Daar werd ik een stuk warmer van.

6

In de pauzes had ik een vaste plek bij de deur van de school. Er groeide een klimplant, die ik bestudeerde. Er zaten veel beestjes op de plant, vandaar. Misschien werd ik later bioloog, dan kon ik precies benoemen wat voor beestjes het waren. Luizen waarschijnlijk. En teken. En spinnetjes. Dan wist ik de Latijnse namen.

Vanaf mijn vaste plek kon ik Milena en haar vriendinnen zien. Ze waren van plan om mee te doen aan een danswedstrijd op televisie en oefenden elke dag. Ik vond het er maar stom uitzien, zo zonder muziek. Aanstellerig.

Toevallig kon ik zelf vrij goed dansen, want Fetties moeder was dansjuf. Ze had een keer gezegd dat ik talent had. Dat zij daar iets mee wilde doen. Maar in plaats daarvan verhuisde ze.

Gek, dat dingen zomaar kunnen ophouden. Alsof iemand midden in een verhaal zijn mond dichtklapte en wegliep. Dat was wat verhuizen was. Je mond dichtklappen en hem pas weer opendoen als je ergens anders was.

'Rat?' Het was een van de twee vriendinnen van Milena.

'Ja?' Dat ik reageerde op 'Rat' was iets waar ik liever niet over nadacht. Olivia Koeienvla noemden de stomste kinderen me vroeger. Maar dat was meer een grap. Ze noemden Fettie 'Slettie'. Gewoon, omdat het rijmde. En alleen achter onze rug om. Ik bedoel, als ze me aanspraken zeiden ze gewoon 'Olijf'. Nooit 'Koe'. Of 'Vla'.

Ik probeerde te kijken alsof ik het druk had.

'Milena vraagt of je kan dansen.'

Ik haalde mijn schouders op. Achter de vriendin hoorde ik gegiechel.

'Eerlijk zeggen hoor.' Alsof we vriendinnen waren.

'Gaat je niks aan,' zei ik ten slotte. Ik had dolgraag geroepen dat ik het kon. Dat ik er zelfs behoorlijk goed in was. Maar het ging niet.

'We zochten nog een gek met een staart.' De vriendin liep gillend van de lach terug naar het groepje.

'Je bent zelf een gek met een staart, een blonde nepstaart,' mompelde ik toen ze allang weer begonnen waren met hun stomme danspasjes. Ik was gewoon niet snel genoeg in mijn reacties. Daar moest ik op oefenen. Ik had ook een beetje kriebel aan mijn hoofd, maar ik ging niet in het openbaar krabben. Ik keek wel uit.

Sasha zat zoals altijd al aan zijn tafeltje toen ik de klas binnen kwam. Onze vriendschap bestond uit kleine gesprekjes tijdens de les, verder niets.

'Hoi,' zei ik overdreven vrolijk.

Hij knikte.

'Hoe is het?' vroeg ik overdreven geïnteresseerd.

'Goed. Dus.' Hij keek net boven mijn ogen.

Toen wist ik niks meer te vragen. Ik pakte mijn schrift en begon cirkels te tekenen.

'Oké klas!' Jenny stond in haar handen te wrijven. 'Rekenen!'

Ik kreunde en liet mijn hoofd op tafel zakken. Ik had nog steeds geen huiswerk gemaakt.

Mijn vader vroeg er ook niet naar. Of misschien was hij het wel vergeten.

'Gaat het?' fluisterde Sasha.

Woesj, een golf tranen die naar buiten wilde. Ik keek van hem weg. Jenny duwde een papiertje met sommen onder mijn neus. Nog meer sommen. Vanmiddag zou ik samen met mijn vader 'tuinplannen' maken. De meeste troep was opgeruimd, maar er lagen nog veel stenen en stukken hout. Ik had geen idee wat een 'tuinplan' was. Mijn vader en ik waren allebei niet zo van het inrichten. Mijn moeder deed die dingen altijd. Maar misschien konden we het hout verzamelen en er een fikkie van stoken. Ik dacht aan de buik van mijn vader waar ik tegenaan kon liggen. Niks hoeven. Ik wilde dat het al avond was. Ik wilde dat het leven alleen nog maar uit avonden en fikkies en cake bestond.

Ik schoof het papiertje van me af.

'Je moet wel wat doen, dame.' Jenny kwam naar mijn tafel lopen. Ik zag haar voeten. Ze droeg donkerblauwe pumps. Als een stewardess.

'Ik denk dat ze ziek is, buikpijn.' Milena klonk alsof ze het heel serieus meende.

'Snavel, Milena.' Jenny hurkte naast me neer.

'Nee echt.' Milena zong bijna. 'Ik zag haar daarnet nog uit de vuilnisbak eten, als een ratje. Ik werd er zelf ook misselijk van.'

'Milena! Eruit!'

Milena stond lawaaiig op.

'Jenny! Ik moet plassen,' riep meteen een van haar vriendinnen.

Zo ging dat hier.

Het maakte uiteindelijk ook niet uit. De kinderen uit mijn klas. De school. De hele buurt zelfs. Zij moesten hier blijven. Terwijl mijn vader en ik hier tijdelijk waren.

'Oké klas! Jullie gaan aan de slag. Dit is een oefentest, belangrijk voor je latere cijfer.' Jenny klonk heel streng. Een oefentest. Dat was het hele leven hier in de stad voor mij. Ik tilde mijn hoofd niet op.

'Oké klas.' Jenny bleef net zo lang 'Oké klas' zeggen tot het een beetje stil werd. Daarna fluisterde ze iets tegen mij, vast iets bemoedigends. Maar ik luisterde niet. Ik miste ons bad en het onder water zwemmen.

Vroeger haatte ik onder water zwemmen. De chloor en die vierkante bak water waarin je heel hard moest bewegen en toch nergens naartoe ging.

'Gewoon onder blijven,' zei de leraar. 'Daar is niks moeilijks aan.'

Maar zodra ik onder water was, begon alles aan mij te spartelen.

'Tel tot tien en hard rechtdoor. Heel simpel,' zei de leraar.

Ik probeerde het, maar vergat mijn ogen open te houden en zwom keihard tegen de zwembadwand.

'Weet je wat het is, Olivia? Je moet geloven dat je het durft. Ik weet zeker dat je lichaam dan ook ophoudt met tegenspartelen.'

Ik peinsde een week over zijn opmerking. Iedere dag stelde ik me voor dat ik het de volgende les durfde. Bij de volgende zwemles begon ik al te bibberen zodra we het water in moesten. Bij het onder water zwemmen bleef mijn hoofd hardnekkig boven.

'Je moet het niet alleen geloven,' zei de leraar, 'je moet het ook oefenen.'

Die avond ging ik in bad zitten. Nu ga ik me onder water laten zakken, dacht ik. Maar ik deed niets.

De tweede avond deed ik het wel. Proestend kwam ik meteen weer boven, ervan overtuigd dat ik aan het verdrinken was.

Ik probeerde mijn moeder over te halen om bij het bad de wacht te houden voor het geval ik echt verdronk, maar ze wilde niet. 'Roep maar als het misgaat,' zei ze. Alsof ik dan nog kon roepen!

Eén dag voor de volgende zwemles ging ik in mijn handdoek naast mijn moeder staan en zei: 'Ik ben te bang.'

Mijn moeder keek op van haar boek. 'Weet je nog dat ik Simon iets in zijn oor fluisterde?'

Ik knikte.

'Ik zei: "Het geeft niet."'

'Wat geeft niet?' De vloer was koud aan mijn voeten en ik was een beetje boos.

'Het geeft niet dat je bang bent. Je angst kan zoveel zeggen, maar jij bent de baas en jij bent je angst niet.'

'En wat zei Simon?'

'Hij zei: "Huh?"'

Dat vond ik een uitstekend antwoord van Simon. 'En wat zei jij toen?'

'Boe.' Mijn moeder grinnikte bij de herinnering.

Zoals gewoonlijk snapte ik niet helemaal wat ze zei. Maar omdat ik het koud had ging ik toch naar het bad. Mijn moeder kwam erbij zitten.

Ik draaide me op mijn knieën, met mijn hoofd dicht boven

het water, alsof ik eraan rook. Toen nam ik een enorme teug lucht en liet me onder water zakken. Onder water deed ik een keer mijn ogen open en daarna weer dicht. Ik stelde me voor dat ik zwembewegingen maakte en tien tellen lang keihard naar voren zwom. Ik kwam zo wild weer boven dat het halve bad over mijn moeder heen golfde.

'Hoe lang?' Ik wreef het water uit mijn ogen. 'Zeg dan, hoe lang?'

Mijn moeder grinnikte en deed alsof haar horloge door al dat water kapot was gegaan.

Toen moest ik nog een keer.

'Hoe lang?' Nu was ik al twee keer zonder te verdrinken onder water geweest.

'Drie seconden! Goed zeg!'

De dag erna zwom ik met zwemles voor het eerst onder water. Het was eigenlijk precies zoals ik het me had voorgesteld, alleen kouder.

Op de achtergrond hoorde ik Jenny nog een keer 'Oké klas!' zeggen.

Ik ging overeind zitten en deed alsof ik de sommen bestudeerde.

Ik zei tegen mezelf: 1. Ik ben hier op doorreis. 2. Niemand weet hier iets van mij. 3. Mijn moeder hoeft dus nog niet dood te zijn.

Punt drie verbaasde mij ook een beetje, maar het kón, dus zei ik het vanbinnen nog een keer. Mijn moeder was in deze stad nog niet dood. Zolang Jenny en Olga hun mond hielden, kon mijn moeder ieder moment komen binnenlopen en me mee naar huis nemen.

Ze zou 'Grapje, Krump,' fluisteren en mijn haar aaien.

Ik keek naar mijn oefentest. Ik had er allemaal cirkels op getekend. Jenny zei er niets van, omdat voor het einde van de test de bel ging en iedereen zijn pen liet vallen en naar buiten rende.

Ik liep zo snel mogelijk naar huis. Mijn vader had een tv'tje gekocht met een ouderwetse antenne. Ik moest meteen in de boot klaarzitten terwijl hij op het dek met de antenne schoof. 'Ja! Nee! Sneeuw!' Pas toen het donker werd hadden we drie kanalen.

'Dat zijn er meer dan genoeg,' zei mijn vader.

De tv stond tegenover mijn vaders bed. Ernaast lagen mijn kleren, zijn kleren, de doos met de jurk en zijn grote rugzak. 'Hoe is je school?' vroeg hij toen we op zijn bed zaten. Om de tv te vieren had mijn vader een zak chips gekocht, we zaten naast elkaar te kruimelen.

Ik had net een mond vol chips en geen zin om antwoord te geven. 'Leuk, mijn moeder is misschien wel niet dood,' klonk vast gek. 'Leuk, ik kan alleen niet rekenen,' leek me ook niks. Voetbal begon bijna. Ik kroop dichter tegen hem aan en hij sloeg een arm om me heen. Eigenlijk waren we altijd al beter geweest in samen zwijgen.

7

De volgende dag rende ik in de pauze zo onopvallend mogelijk achter Sasha aan. Ik zag hem aan het einde van de gang de hoek om slaan en stopte. Er waren daar alleen maar wc's. Ik bleef staan en keek naar de kledinghaken. Toen greep ik er twee vast en bolde mijn rug. Ik trok me overeind en liet me weer naar achter zakken. Warming-up, zoals vroeger bij dansles. Dat zou ik ook zeggen als er iemand vroeg wat ik deed. 'Gewoon, beetje trainen.' Ik rekte en strekte, ik wachtte. Pas toen de bel ging stoof Sasha de jongens-wc uit. Even keken we elkaar aan, daarna renden we naar de klas.

Milena en haar vriendinnen waren er al en loeiden toen we binnenkwamen. Mijn wangen gloeiden. 'Rat en de Schetenjongen hebben verkering,' werd er gezongen.

Halverwege de les schreef ik in mijn schrift: *Ik vertel niets.* Ik scheurde het uit en schoof dat naar Sasha. Hij legde zijn hand erop, verfrommelde het en stak het in zijn zak.

De rest van de dag zeiden Sasha en ik niets tegen elkaar. Jenny vertelde dat de klas de test goed had gemaakt, 'een enkele uitzondering daargelaten', en dat we vooral hard door moesten leren.

'Echnie!' gilde Milena.

Toen de bel ging liep ik traag, zonder op of om te kijken, het schoolplein af in de richting van de kapsalon. Thuis ging ik opruimen. De tuin was bijna leeg, op een stapel hout na, maar de boot was een bende. Mijn vader had zijn broeken en shirts in de kastjes van de kombuis gestopt. In de wasbak die we niet gebruikten zaten zijn onderbroeken, op het fornuis stond een bak met sokken. Mijn bed lag dwars tegen de achterwand, maar ik kon er bijna niet komen door alle vieze kleren op de grond. Ik ging dus op mijn vaders bed zitten om ze te verzamelen, maar ik aarzelde. Waar moest ik ze laten? Alles was vol.

Alleen bij mijn voeteneinde was nog een beetje plek, naast de doos van mijn moeder. Ik pakte de doos. Ik wilde haar rode jurk even zien. Die rook nog zo lekker naar mamma. Mijn vader had de jurk willen achterlaten omdat hij alles wilde achterlaten, maar ik had de jurk tóch in een doos gestopt. Een hele doos voor mijn moeder alleen. We gingen misschien afstand nemen, maar hij mocht niet in zijn eentje bepalen hoeveel afstand. Ik had ook recht op geur. Baas in eigen neus.

Ik zou in de doos kijken en daarna de vieze kleren in een kussensloop doen en naar de wasserette brengen. Om een begin te maken gooide ik alvast wat stinksokken van mijn vader die ik achter de doos was tegengekomen op zijn bed. Toen pakte ik mijn moeders doos. Ik vouwde het karton open.

De doos was leeg.

Even hing ik half over, half in de doos. Toen sprong ik op, waarbij ik heel hard mijn hoofd stootte tegen een uitstekend randje, ik viel op het bed van mijn vader en bleef tussen de stinksokken liggen. Ik was draaierig en had pijn in mijn kop en heel veel zin om iemand daar de schuld van te geven.

Zodra ik weer kon ademen liep ik de tuin in. Door de ruit zag ik dat mijn vader in de kapsalon drukdoenerig met een dikke mevrouw stond te praten. Hij had geen tijd voor mij.

De tuin was behoorlijk koud, maar ik bleef staan. Het was een uur of vijf, de lucht was al de hele dag donkergrijs met een beetje geel. Dat kwam door het gloeien van de stad. De wolken werden er vies en gelig van. Ik ging zitten en had bijna meteen een koude kont. Mijn vader had de rode jurk gepikt.

Zonder het tegen mij te zeggen.

Er bestonden mensen die geloofden dat dode moeders in de hemel woonden, achter de wolken, maar mijn moeder hield niet van vies en gelig.

Het begon zachtjes te regenen en ik wilde net opstaan toen ik aan de andere kant van de schutting het piepen van fietsremmen hoorde. Ik deed het grote tuinhek open – dat ging een stuk makkelijker sinds de troep weg was. Sasha stapte van zijn dure mountainbike. Ik had hem niet verteld waar ik woonde, maar wel iets gezegd over de kapsalon. Blijkbaar wist hij waar die was.

'Hoi,' zei ik zonder hem aan te kijken. Kwam hij eindelijk een keer langs, kwam hij op het allerslechtste moment.

'Hoi,' zei Sasha. Ik stapte niet naar buiten en maakte ook geen ruimte voor Sasha om binnen te komen. Hij keek vlak boven mijn ogen. 'Wist je dat er iets verderop een oude speeltuin is?'

Ik dacht: dit is allemaal tijdelijk. Alles.

'Er hangen twee heel hoge schommels, die kraken als je erop zit. Dus. Niemand durft daar te komen want er is een keer iets heel ergs gebeurd.'

Ik zei: 'O.' Ik wilde niet nieuwsgierig zijn, maar was het toch.
'Nu zijn de kettingen verroest. Dus. Omdat er nooit meer
iemand schommelt.'
'O.'
'Zullen we erheen gaan?'
Ik wilde nee zeggen, maar knikte ja. Mijn vader was toch
stom. Dus.

Ze kraakten inderdaad, de schommels, en bovendien zat er
mos op de zittingen, maar dat veegde Sasha er met zijn
mouw vanaf. Ook bij die van mij.
Ik had honger, maar misschien had Sasha al gegeten want
hij had het er niet over.
We schommelden. Daarna zetten we onze hakken in het
zand en draaiden. *Kriek kriek*, zeiden de schommels. Achter
de schommels stond een enorme boom. Het was opgehou-
den met regenen, maar van de takken vielen nog steeds
dikke druppels.
'Vroeger stond onze school daar.' Sasha wees naar het lege
veld naast de boom. 'In een noodgebouw. De school is verhuisd, de rest is gebleven. Dus.'
Ik liet me draaien tot de kettingen in elkaar waren gekron-
keld. Mijn vader wist niet dat ik hier was, zou hij bezorgd
zijn?
'Dus...' Sasha draaide ook zo ver mogelijk door.
'Wat is er dan gebeurd?'
'Niks.'
Ik draaide de andere kant op, steeds sneller. Zou dat groter
worden zijn? Dat je over steeds meer dingen niet praatte?

En zouden die dingen daardoor ook echt verdwijnen?

'Zeg nou.'

'Ze hebben hier een jongetje vastgebonden aan die boom. Dus.'

De boom zag er dreigend uit in het donker. Nat en vol beestjes. Sasha zat met zijn hoofd een beetje naar voren geknakt. Ik kon hem me zo voorstellen, met een groot touw waar iemand anders zich meteen uit zou wurmen, maar dat hij per ongeluk steeds strakker trok.

'Bij ons deden ze dat ook.' Ik zei het expres luchtig, dat hij niet dacht dat we in Friesland allemaal zoet waren. 'Mij hebben ze een keer vastgebonden aan de wip. Moest ik in de pauze steeds op en neer. En Fettie, mijn beste vriendin...'

'Deze jongen zat er de hele nacht.'

Daar was ik even stil van. 'Was het in de zomer? Dat lijkt me minder koud, maar dan zijn er wel meer beestjes.'

'De jongen hield wel van beestjes.'

'En wie had dat gedaan? Milena?'

Sasha haalde zijn schouders op, op een manier die eruitzag als 'ja'.

'En de ouders van die jongen dan? Die kwamen hem toch zeker wel bevrijden?'

'Hij was hem vergeten.'

'Wie was hem vergeten?' Ik boog me naar Sasha toe, want hij praatte zo zachtjes dat ik hem nauwelijks kon verstaan.

'Zijn vader was hem vergeten. Dus.'

Kriekkriek zei Sasha's schommel. Die van mij niet. Die hing stil.

Sasha had hier een heel leven zonder mij gehad. Dit was

anders dan met Fettie, die kende ik vanaf haar nulde. Zij was met hetzelfde uitzicht opgegroeid als ik. Kun je iemand wel begrijpen die op een andere plek is opgegroeid? Zou zijn hoofd niet heel anders werken?

Mijn moeder had een keer gezegd dat vrienden zijn een kwestie is van samen dingen meemaken. 'Delen', zei ze, 'is het belangrijkste.'

'Maar jij hebt bijna geen vrienden.' Ik weet nog dat ik naast haar op de bank zat. Misschien had ze me net voorgelezen, want na het voorlezen hadden we vaak van dit soort gesprekken.

'Je hoeft toch ook niet véél vrienden te hebben?' Ze aaide me over mijn hoofd. Ik word nogal graag over mijn hoofd geaaid. 'Als ze maar echt zijn.'

Ik zei tegen Sasha: 'Hoe kon die vader jou... ik bedoel, dat jongetje nou vergeten zijn?'

Hij haalde alweer zijn schouders op. Ik begreep hem. Sommige dingen gebeurden nu eenmaal. Soms waren volwassenen zo met zichzelf bezig dat ze hun kinderen vergaten.

Ik begon Sasha te vertellen dat ik op mijn vorige school een keer een rotje aan de tafel van de lerares had gebonden. Dat was eigenlijk niet waar, dat had de stoerste jongen van de klas gedaan, maar ik vond dat het onder de categorie 'bluffen' viel.

'En toen?' vroeg Sasha.

'Ze gilde en riep dat het heel erg was wat ik had gedaan. En toen zei ik: "Dus een rotje aan een tafel vindt u erg? Ik weet nog wel een rottiger plek voor een rotje."'

Sasha schopte goedkeurend een graspol weg. Ik schopte in

het zand. Mijn maag rommelde. Zou mijn vader zich inmiddels afvragen waar ik was? We waren even stil samen.

'Mijn moeder is weg,' zei Sasha na een tijdje. 'Al lang.'

'O,' zei ik zo neutraal mogelijk.

'Ze hadden toch alleen maar ruzie.'

Ik schopte extra hard tegen een graspol.

'Mijn vader wil haar niet meer. Dus.'

'O.'

We begonnen allebei te schommelen.

'Mijn moeder had een vriend.'

'Dus,' zei ik. Het ging vanzelf.

Sasha zei: 'Eigenlijk is het logisch dat mijn vader nu ook een vriendin heeft.'

Ik vond het moeilijk hem te volgen, omdat mijn hoofd alsmaar andere dingen dacht. 'Je vader heeft een vriendin?'

Sasha schommelde wat harder.

Ik kon niet horen wat hij zei, omdat de kettingen zo hard kraakten dat ik omhoog keek om te zien of ze niet zouden afbreken.

'Je vader heeft een vriendin?' Ik probeerde net zo hoog te komen als Sasha, maar steeds als hij omhoog ging, ging ik omlaag en andersom.

Plotseling stopte Sasha met schommelen.

'Dus,' zei hij.

Ik remde zo snel mogelijk en knikte, maar wist niet of hij het zag, dus zei ik: 'Hmmm.'

Toen Sasha niet reageerde, zei ik nog eens: 'Hmmm.' Ik had het gevoel dat ik hem in de steek liet.

'Ik verstond je niet helemaal...' probeerde ik ten slotte.

Sasha zette af. Ik deed hem na, terwijl ik steeds bij het achteruit gaan net als hij mijn voet door het zand liet slepen. Uiteindelijk hingen we weer stil.

Ik zei: 'Mijn moeder heeft ook een ander. Het is een Amerikaan en hij heeft heel veel geld. Mijn moeder is een beroemd wetenschapper.'

Ik voelde dat Sasha eindelijk naar me keek.

'Ik weet dat het raar klinkt, maar het stond laatst nog in de krant. Die Amerikaan heeft een ruimtereis voor haar gekocht. Ze vertrekken binnenkort. Hij heeft er vijf miljoen voor betaald. Ze gaan met een kleine shuttle naar een groter schip in de ruimte. Het moederschip. Ze zijn nu in training. Heb je het niet gelezen? Het stond echt in de krant.' Dat laatste was waar. Ik had in de krant over een Amerikaan gelezen die vijf miljoen had betaald voor een ruimtereis.

'Maar als je moeder wetenschapper is, dan hoeft ze toch geen reis te kopen? Dan mag ze toch mee met een...' – Sasha dacht even na – 'normale reis?'

Ik keek naar het zand. Mijn gympen hadden een heel strand aan de binnenkant. 'Mijn moeder wilde gewoon met die Amerikaan, snap je? Ze zegt dat je echt vrienden wordt als je samen dingen meemaakt. Nou, samen de ruimte in is nogal wat. Ze zegt ook dat als je iemand begrijpt, je niks anders kan doen dan van diegene houden.'

Ik kon niet roder worden. Mijn hoofd plofte bijna.

'Echt?'

Waarom vroeg hij dat nou?

'Mijn moeder is schrijfster, ze heeft er verstand van.' Daarna zette ik zo hard mogelijk af.

Sasha bleef stil hangen. 'Maar je zei net dat ze wetenschapper was.'

'Kan ze niet allebei zijn, dan?'

Gelukkig zette Sasha het toen ook weer op een schommelen. De ijzeren kettingen piepten als in een enge film.

Steeds harder gingen we, zo hoog dat je een schokje voelde als je op het hoogste punt was.

Sasha riep: 'Een... twee... drie!' en we sprongen tegelijk en vielen over elkaar heen en het was zowel zacht als bottig. Ik moest keihard lachen en Sasha ook en we bleven best lang liggen.

Toen ik terugkwam zag ik door de ruit van de kapsalon mijn stomme vader. Hij praatte nog steeds met die vrouw. Mij had hij blijkbaar niet gemist. Hij hield een 'open avond' om meer klanten te werven, maar aangezien hij geen vrouwen knipte, was hij volgens mij niet erg slim bezig.

Ik liep de keuken van de kapsalon in om wat boterhammen te pakken. Dit keer was er niet alleen brood maar ook kaas en pindakaas en een halve zak chips.

Ik belegde mijn boterhammen met chips en liep de tuin weer in. Ik had zin om mijn vader over Sasha te vertellen. Dat Sasha een keer in zijn eentje de hele nacht vastgebonden had gezeten aan een boom. Dat Sasha's vader een vriendin had. Misschien zou ik zelfs wel over mijn bluf vertellen. Over het moederschip en de Amerikaan en dat het per ongeluk was gegaan. Maar mijn vader had de jurk gepikt.

Vanuit de tuin kon ik hem goed bekijken. Mij kon hij niet zien, ik stond in het donker. Stel je voor dat hij ook een nieuwe vriendin zou krijgen. Met zijn dikke buik en zijn kleine oogjes. Met al die haarproducten in zijn haar. En dat huilen de hele tijd. Er was vast niemand die hem wilde. Behalve ik dan.

Ik kon mezelf wel voor mijn kop slaan dat ik niet verder had gevraagd toen Sasha begon te mompelen. Wat voor iemand was die vriendin van zijn vader? En hoe erg was het eigenlijk? Moest ik hem te hulp schieten?

Het was maar goed dat mijn vader en ik in tijdelijkheid leefden. Zo'n stad was eigenlijk veel te ingewikkeld voor ons.

'Dus,' zei ik hardop in het donker, 'dusdusdus.'

Ik luisterde even naar het ruisen van de zee achter mijn ogen en vroeg me af of dat wel eens gebeurde. Dat ze een kind wijsmaakten dat haar moeder dood was, maar dat die moeder eigenlijk op reis was, naar de ruimte of zo. Gewoon, omdat ze even geen zin meer had om moeder zijn.

Ik stelde me voor dat mijn moeder tegen mijn vader zei: 'Laten we doen alsof ik doodga.'

'Ik weet het nog beter,' zei mijn vader, 'we doen alsof je doodgaat en daarna doen we alsof we je verbranden en dan nog iets met as.'

De zee achter mijn ogen ruiste harder.

'Kan je doodgaan van verdriet?' vroeg mijn vader erachteraan. 'Want dan ga ik er ook aan, denk ik.'

'Ha ha ha,' lachte mijn moeder. 'Ik eerst. Ik weet namelijk nog een rijke Amerikaan met een ruimteschip. Leuk, de wolken in!'

'Maar je houdt niet van vies en geel.'

Ik liet de boterham op de grond vallen en klom de boot in.

Dan maar zonder tanden poetsen naar bed. Ik had geen zin meer om wakker te zijn. Mijn kleren liet ik gewoon op de grond vallen. De lege doos van mijn moeder zette ik op mijn vaders bed. Hij zou vast schrikken en meteen zeggen waar hij de jurk gelaten had.

Niet meer verder denken. Niet meer verder fantaseren. Ogen dicht.

Meteen zag ik de glimlach van mijn moeder weer.

'Die wolken zien er vanboven heel anders uit, John. Vanboven zijn ze wit en donzig.' Dat zei mijn moeder.

'Als scheerschuim.' Mijn vader dacht altijd aan kappersspullen.

'Doe niet zo rraaarrrrr John.'

En dan begon mijn vader natuurlijk weer te huilen.

Om luider dan de ideeën in mijn hoofd te zijn, begon ik te zingen. Een dom lied, met nauwelijks tekst en alleen een refrein dat iets was als: 'Hohoho and a bottle of rum.' Ik begon net aan de tweede ronde toen mijn vader de boot binnen stapte.

Hij lachte. 'Een fles rum? Zing je van een fles rum? Hahahaha.'

Hij had duidelijk gedronken. Ik rook het.

'Niet lachen.'

Daar moest hij nog harder van lachen. 'Hohoho,' deed mijn vader en hij zette zonder echt te kijken de lege doos van zijn bed op de grond. Hij was zó stom. Maar dan écht stom. Ik had zin om hem pijn te doen. Ik draaide mijn gezicht naar de muur en zei niks. Ik had hem niet gevraagd waar de jurk van mijn moeder was. Nu zou ik het niet meer vragen ook. Ik kwam er zelf wel achter. Hem zou ik nooit meer wat vragen.

8

'Laten we morgen naar het zwembad gaan.' Sasha fluisterde het vlak voor de bel ging. Het was vrijdag en er kwam een week vakantie aan.

Ik was blij, want ik had geen idee wat ik met die vrije tijd aan moest.

'Dan haal ik je heel vroeg op. Dus.'

Jenny riep dat we misschien vakantie kregen maar dat dat niet wilde zeggen dat we niet moesten doorleren. 'Denk eraan, jongens, het gaat om jullie cijfers.'

'We zijn geen jongens!' riep Milena. Alle meisjes lachten. Behalve ik. Ik zag dat Milena dat zag.

Vakanties in Friesland waren meestal fijn. Er was altijd wel iemand met een boer als vader, waar je mocht helpen op het land. We kregen er soms zelfs geld voor. Slettie, Koeienvla en de jongens, voor al uw klusjes.

Als je wilde zwemmen was er een meertje, als je eindeloos door de weilanden wilde lopen dan waren er meer weilanden dan je lopen kon. En opa en oma natuurlijk. Die waren er altijd. Als opa in een goeie bui was, ging hij vertellen hoe het leven vroeger was. Mijn opa heet Frans, en vóór hij mijn oma kende had hij overal vriendinnetjes. Die bezocht hij dan op de fiets, de één na de ander. 'Toer de Frans' noemde hij dat. 'Tot ik oma tegenkwam, natuurlijk.' Bij die woorden lachte hij lief naar oma. Dat was zeldzaam, want meestal was mijn opa streng en een beetje bozig.

Ik kon altijd bij ze binnenrennen als mijn vader te druk was met knippen en mijn moeder aan een boek zat te schrijven. Ik nam me voor om deze vakantie opa en oma te bellen. Ik had het me al eerder voorgenomen, maar het kwam er niet van. Ik wist niet precies wat ik zou moeten vertellen als mijn opa zou vragen: 'Hoe is het daar?' Als ik hem hetzelfde vroeg, was het ook een rotvraag. Bovendien vonden ze mijn vader onverantwoordelijk, dat had ik ze zelf horen zeggen. En mijn vader had geen vader en moeder meer om hem te steunen. Hoe stom hij ook was, hij had alleen mij.

Toen ik thuiskwam groef ik in de boot naar mijn zwempak. Het was nog maar een jaar oud, een heel gewoon zwart badpak met witte sportstrepen. Ik had er nooit over nagedacht, maar nu vroeg ik me af of het wel hip genoeg was voor een stadszwembad. Ik zag Milena al voor me in een roze bikinietje.

Ik liep met het badpak naar de kapsalon om het probleem aan mijn vader voor te leggen. We hadden elkaar de hele week nauwelijks gesproken, maar vandaag was het vrijdag. Ik had de melkvoorraad al gecheckt en ging in de lege tandartsstoel zitten wachten tot hij klaar was met zijn klant. Ik bedoel, ik mocht dan wel boos zijn, maar dat wilde niet zeggen dat we geen cake konden eten. Ik wilde niet ook nog ruzie, ik had al genoeg problemen.

John, zo noemde ik hem tegenwoordig in mijn hoofd. Niet pappa. John.

Musa was er weer toen ik de kapsalon binnen liep. Meestal moest ik me 'gedragen' als er klanten waren, maar de Turkse bakker was er zo vaak dat ik niet meer heel beleefd hoefde te zijn. 'Ik wil mijn vrouw verrassen,' zei hij altijd tegen mijn vader, met een grappig accent.

Ik nam aan dat zijn vrouw hem een paar keer per week met een vergrootglas inspecteerde, anders kon ze niet eens zien waar ze verrast over moest zijn.

'Ik heb nu eenmaal grote baardgroei,' had Musa me uitgelegd. Hoewel mijn vader altijd aan Musa's hele hoofd zat, ging het volgens Musa vooral om zijn snor. Als die perfect zat, was zijn vrouw gelukkig.

Er zat een pompje aan de tandartsstoel dat je met je voet moest bedienen, dan ging de stoel omhoog. Een hendeltje aan de zijkant zorgde ervoor dat je met een zucht weer omlaag zakte.

Ik pompte en zakte, pompte en zakte. Ik loerde in de spiegel naar de snor van Musa.

Hij had zijn ogen dicht, omdat mijn vader zijn hoofd masseerde. Ik trok gekke bekken naar mezelf in de spiegel en toen ik daar genoeg van had draaide ik rondjes.

'Hoe is het financieel?' Musa vroeg het met zijn ogen dicht. Musa praatte graag over geld, mijn vader niet. Dus meestal was Musa aan het woord, maar nu zei mijn vader: 'Niet geweldig. Maar er schijnt hierboven' – hij wees met zijn schaar naar het plafond – 'een financieel expert te wonen.'

Lekker belangrijk, dacht ik. Onze familie gaf gewoon niks om geld. Mijn moeder deed de administratie, maar had er een hekel aan. Zodra ze klaar was nam ze me mee naar buiten. Dan gingen we wandelen. Of de eendjes voeren. Het maakte niet uit. Samen zijn. 'Er is tijd voor geld en al-tijd voor Olivia,' zei ze dan.

Ik schopte tegen de spiegel. Zachtjes, maar blijkbaar toch te hard, want ik werd de kapsalon uit gestuurd.

Ik ging in de tuin wat danspasjes oefenen. Straks cake en morgen zwembad. Dat was best leuk. Ik maakte anderhalve pirouette en bleef perfect recht stilstaan.

'Krump?' Mijn vader stapte de tuin in terwijl hij zijn handen aan een handdoek afveegde. Hij keek ernstig.

Ik danste op hem af.

'Ik weet dat het vrijdag is.'

'Cakecake,' zong ik op de maat van mijn danspassen.

'Het spijt me heel erg. Maar mag ik vandaag een keer overslaan?'

Ik stopte met dansen.

'Ik heb namelijk een belangrijke afspraak.'

'Wat dan?'

Hij aarzelde. 'Nou, geld. En zo.' Hij friemelde aan zijn handdoek. Dit was vast wat mijn opa bedoelde met 'verantwoordelijkheid nemen'. Ik vond er niks aan.

'Het zijn Belangrijke Dingen,' zei mijn vader. 'Belangrijke Dingen moet je goed in de gaten houden.'

'Maar toch niet de Belángrijkste Dingen?' zei ik en zette mijn handen in mijn zij. Plotseling wist ik waar de jurk van mijn moeder was. Ik liet mijn vader met zijn handdoek in de tuin achter en klom de boot in. Ik greep de rugzak naast de tv. Ik keerde de rugzak om. Er zat niet zo heel veel meer in, wat shirts en een bergje onderbroeken. Als laatste viel er iets roods uit. De jurk van mijn moeder. Hij had hem voor zichzelf ingepakt.

'Krump?' Mijn vader was op het dek geklommen.

Ik rende naar het luik en trok het dicht.

'Krump, niet zo flauw nou.' Mijn vader klopte op het luik, maar ik had het van binnen op slot gedaan. 'Ik moet weg hoor.'

Ik zei niks.

'Volgende keer doen we het twee keer zo goed!' Ik hoorde hem de trap af klauteren.

Toen hoorde ik de deur van de keuken, en toen was hij weg.

Het was heel erg leeg in mij.

Ik zat gewoon op zijn bed tussen de berg troep met de rode jurk. Er ging tijd voorbij.

Uiteindelijk legde ik de rode jurk onder mijn kussen. Als hij hem verstopte, kon ik dat ook.

Ik ging naar de keuken in de kapsalon om mijn tanden te poetsen, holde terug naar de boot en kroop daarna in mijn vaders bed en keek tv.

Maar ik sliep niet.

Uren later lag ik nog wakker.

Ik duwde de dekens van me af en tekende met mijn tenen cirkels op het plafond. Mijn benen hoefden maar iets langer te worden, dan kon ik zo het plafond uit de boot drukken. Als ik heel dik zou worden, kwam ik er nooit meer uit. Dan moesten ze het dek open slijpen om me te bevrijden. Ik kon maar beter niet te veel cake eten – als ik tenminste óóit nog cake zou eten, met die stomme vader van mij. Ik draaide met mijn benen cirkels de andere kant op.

De hele week had Milena mij met haar groep nageaapt. Ik stond bij mijn klimplant en pakte een blaadje. Zij pakten allemaal ook een blaadje. Hmmm, lekker, deden ze. Alsof ze het blaadje gingen opeten. Alsof *ik* dat soort blaadjes at. Er kwam zelfs publiek. Kinderen uit mijn eigen klas, maar ook uit andere klassen, bleven staan om te lachen. Toen de bel ging was ik de eerste die naar binnen liep, daarna kwam de hele troep als een staart achter me aan. En morgen stond ze me vast in haar roze bikini op te wachten bij het zwembad. Konden we maar weg van hier. Naar een andere plek, waar we nog een keer opnieuw konden beginnen. Maar dan echt. Een plek waar wél leuke kinderen waren. Waar ik zo dik kon worden als ik wilde. Waar ik niet de hele tijd de stinksokken van mijn vader rook, om maar wat te noemen. Waar we bakken met geld verdienden.

Morgen was het vakantie. Ik was blij dat er zoiets als vakantie was, maar had geen idee wat ik met al die tijd moest doen. Aan mijn vader kon ik het ook al niet vragen, want niet alleen was hij stom, hij was er niet.

Heel traag kroop de tijd naar tien uur, toen naar kwart over tien en toen sliep ik even, want het eerstvolgende moment dat ik keek was het twaalf uur en stond mijn vader zich zo stil mogelijk uit te kleden. Ik lag nog steeds in zijn bed. Ik kon hem ruiken: hij rook naar bier en haarlotion. Hij maakte kleine geluidjes terwijl hij zich uitkleedde. Iets tussen kreunen en zingen in, alsof hij zichzelf met geluid begeleidde bij het afpellen van zijn kleren.

'Pap?'

'Krump?' zei hij. Hij kwam naast zijn bed staan. Een beetje naar voren gebogen, want hij paste niet rechtop in de boot. 'Ik vind het hier niet leuk,' fluisterde ik ten slotte. Mijn stem was heel zacht, maar omdat hij zo dichtbij stond hoorde hij me toch. Als hij op dat moment een hand op mijn wang had gelegd had ik gehuild, dat weet ik zeker, de tranen waren dichterbij dan ooit. Ik hoorde ze ruisen achter mijn ogen. Ik kroop een beetje meer naar hem toe, maar mijn vader deed net een stap van me weg en ging op mijn bed zitten.

Weer was het een tijdje stil, en toen klonk er een snik. Ik ging overeind zitten en keek naar hem. Hij zat daar in zijn lange onderbroek met die harige buik eroverheen, zijn handen steunden zijn hoofd. Hij had één sok nog aan. Snik, nog een snik, snuif, snik. Ik kroop uit mijn warme hol en ging naast hem zitten. De vloer was een beetje koud, maar je kon toch merken dat het voorjaar aan het worden was. Zijn lijf was warm. De drank hing als een walm om hem heen. Ik zei: 'Zo erg is het niet. Het valt wel mee.' Al wist ik niet precies wat er niet erg was en wat er wel meeviel.

Hij snikte. 'Sorry, Krump, ik wilde dit ook niet. Ik wilde dit allemaal ook niet.'

'Het geeft niet,' zei ik, maar vanbinnen dacht ik: hè? Hij wilde dit toch wél? Hij wilde toch weg?

Toen begreep ik dat hij bedoelde dat hij niet wilde dat mijn moeder dood was. Weer waren de tranen zó dichtbij dat ik ze al proefde. Zout in mijn mond, prikkende ogen en meteen daarna heel erge dorst. Dus greep ik naar de fles met kraanwater die altijd tussen onze bedden in stond en nam een slok. Toen ik opkeek was mijn vader in zijn eigen bed gekropen. Ik hoorde gedempt gesnik. Ik legde mijn hand op zijn deken en het gesnik werd harder. Ik bleef de deken aaien tot het stil was.

9

Toen ik de volgende dag opstond, viel me op dat de hele boot naar schimmel stonk. Ik rende met mijn badpak naar de kapsalon, waar de douche was, en daarna rende ik met mijn handdoek om maar toch nog behoorlijk nat naar het grote hek om door de kieren heen te kijken of Sasha er al stond. Ik moest een paar keer mijn badpak goed trekken, dat tussen mijn billen trok. Vorig jaar paste het nog prima, nu zat het ineens nogal strak. Ik had ook het gevoel dat mijn borsten er een beetje uit groeiden. Waar kwamen die borsten vandaan? Had ik binnenkort vast een bh nodig. Met mijn moeder een bh kopen was geen probleem geweest. Die was dol op gênante dingen. Bloed, urine, zweet. 'Gek toch dat mensen zich schamen voor hun eigen lichaam?'

Ik snapte wel wat ze zei, maar schaamde me toch. Met mijn vader een bh kopen zou raar zijn. Ik zag hem al stamelen in de winkel. En dan een lelijke uitkiezen. Gewoon, omdat hij niet beter wist.

Omdat Sasha er nog niet was ging ik in de kapsalon een tijdschrift lezen waarin roddels stonden van een maand geleden. Er lagen ook tijdschriften over auto's en politiek. Hoe mijn vader aan die tijdschriften kwam, wist ik niet. Ze lagen ook in zijn vorige kapsalon. Misschien kwamen die blaadjes vanzelf als je kapper was.

Tegen de verveling verhuisde ik om de twee bladzijdes naar

een andere plek. Eerst zat ik op het bankje, daarna op de ene en toen op de andere tandartsstoel en toen op de oude zwarte stoel met gebarsten leer die voor de spoelbak stond en naar mannenzweet stonk.

Sasha had gezegd dat hij vroeg zou komen. 'Om negen uur of zo, dan is er nog plek.' En ik had erom gelachen. Alsof we de hele tijd op één plek in het zwembad zouden gaan staan. In de oude stinkstoel zat ik het minst lekker, maar ik bleef er toch zitten tot het tijdschrift uit was. Toen rende ik haastig naar het hek, omdat ik zeker wist dat hij er nu wel moest zijn. Hij was er niet.

'Dan bel je hem toch?' mompelde mijn vader toen ik mopperend de boot in kwam. Maar Sasha had me zijn mobiele nummer nooit gegeven. Op de schoollijst stond alleen het vaste nummer.

'Om halftien mag je naar zijn huis bellen,' zei mijn vader, 'maak nu eerst maar eens koffie voor je arme vader.'

Ik deed alsof ik hem niet hoorde en ging in de tandartsstoel in de kapsalon rondjes draaien. Om vijf voor halftien kwam mijn vader de boot uit en ik rook dat hij koffie zette. Ik pakte weer een tijdschrift en keek naar auto's tot ik hoorde dat hij met koffie en al weer naar de boot vertrok. Toen liep ik naar het halletje tussen de keuken en de kapsalon in, waar de ouderwetse kwartjestelefoon hing. Je hoefde er geen kwartjes in te doen, maar de hoorn was zwaar en voelde ouderwets aan.

Ik draaide Sasha's nummer. De telefoon ging één, twee, drie keer over. Toen kwam de voicemail. Een vrouwenstem. Zou dat de moeder van Sasha zijn of de nieuwe vriendin van zijn vader? Soms veranderden mensen hun bericht heel lang niet. Je belt jezelf immers niet zo vaak. Bij Fettie thuis zei hun antwoordapparaat ook nog weken nadat ze terug waren van vakantie dat ze nog 'even' weg zouden zijn. Ik wilde dat wij in Friesland een antwoordapparaat hadden gehad en dat mijn moeder het had ingesproken. Dan had ik nadat ze dood was gegaan kunnen bellen om haar stem even te horen.

'Dit is de voicemail van de familie Van den Brandeler,' zei de vrouwenstem. 'We zijn er niet, maar laat een bericht achter na de piep.'

Ik sprak niets in.

Mijn vader kwam aanlopen met een bundeltje kleren en een lege koffiemok in zijn hand. Hij droeg alleen zijn boxershort en had een handdoek over zijn schouder. Ik hoorde dat hij aan het mopperen was op de tuin.

'Sasha is er niet!' zei ik tegen hem. Hij stootte zijn teen tegen de drempel van de douche en vloekte. Ik moest oppassen: als mijn vader slecht geslapen had was hij net een te volle emmer. Mijn moeder lachte er altijd om. Ze noemde het zijn 'feestje van zelfmedelijden'. Ze zei dan: 'Als je ons nou ook uitnodigt, dan kunnen we tenminste meezeuren.'

Ik liep de keuken in, duwde wat vuile koffiemokken opzij en maakte een boterham voor mezelf en voor mijn vader. Die van mijn vader liet ik op het keukenblad achter, wat maar net ging. Met mijn boterham ging ik in de tuin zitten. Stomme Sasha. Het badpak beet in mijn billen. Hoe kon hij nou niet komen opdagen? Misschien durfde hij niet met mij gezien te worden in het zwembad. Ook niet 's ochtends vroeg.

'Hier,' zei mijn vader toen hij eindelijk aangekleed en brood kauwend aan kwam lopen. Hij duwde een stok in mijn hand. Ik keek van de stok naar zijn neus, die een beetje rood was. Hij zei: 'Om gisteren goed te maken.'

Toen ik niet reageerde, zuchtte hij diep en zwaaide met zijn eigen stok. 'Oké, ik deed wat knorrig door dat geldgedoe, maar soms moeten die dingen. Klaar. Nu moet jij raden wat dit is.' Hij duwde de stok bijna in mijn gezicht.

Ik keek naar het draadje dat eraan hing. Meende hij dat nou serieus? Mijn badpak zat écht heel rottig. Als ik het nu uittrok, zou ik niet meer met Sasha kunnen gaan zwemmen – ik bedoel, stel dat je gedeelde kleedhokjes had! Maar als ik het niet uittrok en ik ging met mijn vader vissen, dan stond ik de hele dag te wiebelen.

'Nou?' Hij keek als een hongerig jongetje.

'Zegnou,' dreinde hij.

Ik zuchtte. Wie had er nou een vader waar je voor moest zorgen?

Ik klom traag de boot in.

'Olijhijf, schiet ohop.'

Ik trok mijn badpak uit en kleedde me om. Mijn lievelingsspijkerbroek en een oud shirt. Wat niet moeilijk was: ik had alleen maar oude shirts.

Toen klom ik de boot weer uit. Mijn vader maakte een sprongetje. Ik bekeek de hengel. 'Is het een hark?'

'Nee.'

'Een verrekijker zonder lens?'

'Een héngel, Krump. Het is een héngel.'

Ik wilde niet knorrig zijn. Hij ook niet. We deden allebei ons best.

'Maar je houdt helemaal niet van vissen, pappa.' Ik had al pappa gezegd voor ik John kon bedenken.

'We wonen op een boot,' zei mijn vader, alsof dat alles verklaarde.

Ik probeerde mezelf eraan te herinneren dat ik eigenlijk boos op hem was vanwege de jurk en de cake-die-niet-doorging, maar het lukte niet – ik wilde gewoon heel graag bij hem zijn.

'Een boot op het lánd, ja.'

'Kom.' Mijn vader grijnsde. 'En nu gaan we Vissssssen.'

De hengel was van bamboe, met een vrij groot haakje eraan en niet zo'n molentje waarmee je de draad kon opwinden.

'Vissssssen,' aapte ik hem na.

'Vort.' Mijn vader prikte met zijn hengel in mijn been. Ik verdedigde me met mijn eigen hengel en we hadden een hengelgevecht. Ik lachte wel, maar een beetje onecht, alsof ik in een film acteerde.

'Moet je niet werken?'

'Ik heb een bordje *Ben vissen met mijn dochter* voor het raam gehangen.'

Na een paar keer proberen bij de brug besloten we dichter naar de waterkant te gaan. Het was er drassig, en ik gleed uit en viel bijna in de sloot.

Mijn vader moest heel hard lachen, echt lachen dit keer, net zo vrolijk als vroeger. Hij trok me naar zich toe. Ik hield me met hem in evenwicht.

Hij vertelde dat hij al zo veel vaste klanten had, dat hij een plankje had gemaakt. Mijn vader had namelijk een zelf uitgevonden scheerlotion die zó lekker rook, dat iedereen spontaan van je ging houden als je hem op had. Het was een geheim mengsel waar hij ooit mijn moeder mee had versierd. Door het op zichzelf te doen, niet op mijn moeder. 'Het werkt alleen bij mannen.'

Mijn vader gaf klanten die vaker terugkwamen een eigen flesje met hun naam erop. Dat was zijn gewoonte. Dat flesje mochten ze niet mee naar huis nemen, dat kwam op een plank te staan en werd gebruikt als ze langskwamen. Ik wist hoe de lotion werd gemaakt, maar ik had gezworen het nooit aan iemand te vertellen.

'Klantenbinding,' zei mijn vader. In zijn vorige winkel had hij wel twee plankjes vol gehad, maar dat hij er nu al één had was ook heel erg goed.

Een fiets stopte met piepende remmen op de brug, maar ik deed net brood aan het haakje dus ik keek niet op.

'Meneer de kapper aan het vissen met zijn dochter?' hoorde ik vanaf de brug.

'Musa!' Mijn vader zwaaide enthousiast met zijn hengel, waardoor ik moest wegduiken voor het rondzwiepende haakje. Ik had hem al lang niet meer zo vrolijk gezien. Misschien kwam dat door het vissen. Met mij.

Musa vroeg of mijn vader straks weer aan het werk ging, en ik zag dat mijn vader aarzelde. Dus deed ik alsof ik alweer uitgleed en gelukkig hield hij me met één hand tegen, anders was ik dit keer echt in de sloot gevallen.

'Sorry, vriend, ik heb geen tijd. Ik ben hier met mijn dochter.'

Musa knikte. 'Dat is goed. Je dochter is je koninkrijk.'

Dat vond ik mooi gezegd.

'Zo heb je niemand in je zaak, zo komen ze je halen,' bromde mijn vader terwijl hij nieuw aas aan zijn haakje deed. Het was oud brood. Daar hadden we dankzij Musa nogal veel van.

'Geef mij ook eens een stukje,' zei ik.

'Hier, koninkrijk.' Hij grijnsde en gaf me wat brood.

Ik stopte het in mijn mond en zei: 'Avondeten.'

Hij sloeg een arm om me heen en kneep stevig. 'Ik ben gewoon veel liever bij jou.'

En ik dacht: ik heb helemaal geen Sasha nodig.

10

Sasha's huis was aan de andere kant van de stad. Ik was er nog nooit geweest, maar had het op de kaart bij de bushalte opgezocht. Zondagochtend ging ik erheen, op de fiets van mijn vader. Of eigenlijk niet zijn fiets, maar de fiets die hij van iemand had kunnen lenen. Een paarse damesfiets.

Ik treuzelde een beetje voor vertrek, tot mijn vader zei: 'Het kan toch niet zo zijn dat hij in één dag je beste vriend niet meer is? Misschien heeft hij zijn hoofd wel gebroken.'

Daar zat wat in en dus ging ik op pad. Met die fiets. Waar die fiets vandaan kwam was me een raadsel. Ik zag zijn klanten bijna nooit op fietsen, en als ze al op fietsen kwamen dan waren het van die oude zwarte herenfietsen, zoals die van Musa.

Ik fietste zonder op het zadel te zitten en zonder te stoppen. Als mijn voeten de grond zouden aanraken was dat een teken dat Sasha mijn vriend niet meer was en dan moest ik naar huis.

Mijn bovenbenen begonnen al snel te branden van het trappen, maar ik had overal groen licht. Steeds als het niet meer ging, ging het toch weer.

Bij het derde groene stoplicht dacht ik: dit is een goed teken. Waarvan precies wist ik niet. Daar waren de kriebels weer. En misschien gingen die dit keer niet over de as.

Je kon het huis alleen maar in de verte zien liggen, want er stond een enorm hek omheen met twee nog enormere reuzehonden erachter. Dat moesten Kwijltje en Baars zijn. Ik wist van Sasha dat ze getraind waren om indringers op te eten. Zo keken ze ook naar mij: als naar een lekker hapje.

Ik keek naar de toegangspoort, die heel erg dicht was, en begon toen om het hek heen te lopen. In Friesland ging je altijd achterom, daar stonden er zelfs vaak bloembakken voor de voordeur omdat niemand die ooit gebruikte. Ik hoopte op zoiets. Op een achterommetje.

Kwijltje en Baars liepen met me mee. Het waren geen blafhonden, ze gromden niet eens, maar ze hielden me de hele tijd in de gaten. Ik neem aan dat als je zo groot bent je ook niet hóéft te blaffen.

De honden waren broertjes en één jaar jonger dan Sasha. Kwijltje heette zo omdat hij als allereerste puppydaad al zijn kwijl over Sasha had uitgeschud – dat had Sasha me een keer in een extra spraakzame bui verteld. Baby Sasha zat onder de spetters, maar lachte zich rot.

Baars had geen naam totdat hij een keer in de vissloot van Sasha's vader viel. Waar dus gekweekte dikke baarzen in rondzwommen. Met een bergje kroos op zijn kop kwam hij boven. Ik zei dat hij dan Kroos zou moeten heten. Daar was Sasha het mee eens, maar zijn vader had gezegd dat Baars 'baarsachtige strepen' had. Typisch iets voor volwassenen om op die manier een naam te geven.

'Jij leek zeker op een Sasha,' zei ik tegen Sasha.

Hij knikte serieus. 'Ik vind dat ik nog steeds op een Sasha lijk.'

Zelf vind ik al mijn hele leven dat ik totaal niet op een Olivia lijk. Mijn ouders waren vast heel erg in de war toen ze me een naam gaven. Niet dat ik Olivia geen mooie naam vind (hoewel de lol er na een heleboel Olijfjewijfjes wel een beetje af gaat), maar het hoort zo heel erg niet bij mij. Ik ben geen Olivia.

'Ik wil een andere naam!' schijn ik een keer tegen mijn moeder geroepen te hebben toen ik nog een stuk kleiner was.

'Hoe had je dan willen heten?' vroeg mijn moeder.

'Vlieger,' zei ik heel beslist.

'Een vlieger is een ding, geen naam,' zei mijn moeder. 'Het mag wel, maar het kan dat mensen je dan willen oplaten.'

Daarna zat ik een hele tijd nadenkend voor me uit te kijken.

'Krumpel,' zei ik toen.

Zo kwamen mijn ouders op Krump. Beter dan Olivia. Tenminste, dat vond ik toen.

Het hek liep een eind van Sasha's huis af, zodat ik niet dichterbij kwam. Maar ik hield vol, zelfs toen er in de verte een sloot opdoemde waardoor ik niet verder kon. Ik had namelijk iets gezien. Ik had iets gezien, maar liep verder omdat ik zeker wilde weten of het klopte wat ik zag.

Het was net zo'n soort gevoel als ik had gehad toen mijn moeder net dood was. Ze lag in haar kist. Iedereen huilde. Ik stond samen met mijn vader naar haar te kijken en wilde haar eigenlijk – maar dan dus écht heel hard – in haar arm knijpen. Om te kijken of het waar was. Om haar wakker te maken.

Ook al wist ik, ook al zag ik, dat het niets zou helpen.

Ook al was ik tegelijkertijd bang dat ik een stukje van haar arm af zou knijpen.

Ik kwam bij de sloot. Nu kon ik niet meer verder. Aan de andere kant van het hek zag ik een minispeeltuin. Een zandbak met een kap erover, een houten kasteel met een glijbaan. Twee schommels. Niet zo hoog als die bij mij om de hoek; eerder het type 'doe het zelf', met van die plastic zitjes waar water in bleef staan als het veel regende. Zo'n zitje dat dan in de herfst ging klotsen als je schommelde. Fettie had zo'n schommel gehad, want zij had vijf broers en een grote tuin. Maar Sasha had deze minispeeltuin dus helemaal voor zichzelf, en hij had mij er nooit over verteld. En er was nog iets wat hij nooit had verteld. Hij was vrienden met Milena.

Daar zat het meisje met blond engeltjeshaar naast mijn beste vriend. Ze zat ineengezakt en haar voeten sleepten over de grond, want de schommels hingen laag. Sasha zat net zo in elkaar gedoken als zij; ze bewogen nauwelijks.

Dus hij was met Milena. In zijn eigen speeltuin. Bij zijn eigen huis, met Kwijltje en Baars en honderdduizend pennen.

Ik bleef staan en voelde hoe mijn gympen direct in de modder begonnen te zakken. Ik trok mijn ene voet los, bang dat ik vast zou komen te zitten – dan zouden Sasha en Milena me moeten redden, brrr. Het maakte een vrij luid ploppend geluid. Hoorden ze het? Ze keken niet op. Ik trok mijn andere voet los met net zo'n geluid en begon terug te lopen.

Kwijltje en Baars liepen als lijfwachten met me mee terug. Ik keek niet om, dus ik wist niet of Milena en Sasha me hadden gezien. Maar toen ik bij de toegangspoort kwam, begon Baars opeens te blaffen en sprong hij zo hoog tegen het hek op dat ik bijna zeker wist dat hij er met zijn volgende sprong overheen zou gaan.

'Af!' riep ik zo dominant mogelijk, want dat had Fettie me een keer verteld, dat je tegen dit soort honden streng moest zijn.

Baars ging niet af.

Ik probeerde me de reuzehond voor te stellen met kroos op zijn kop, maar hij gromde zo gemeen dat ik alleen maar aan wegrennen kon denken.

Kwamen Milena en Sasha nu achter me aan? Ik greep de paarse fiets, die ik tegen een paaltje bij de weg had gezet. Natuurlijk kon ik niet meteen het sleuteltje vinden en natuurlijk lukte het daarna niet om het in één keer in het slot te krijgen. Volgens mij hoorde ik boven het geblaf van de honden uit iemand 'Olivia!' roepen. Ik keek niet om, en zodra ik het slot eindelijk open had fietste ik heel hard weg. Ik had rood licht aan het einde van de straat, maar daar fietste ik gewoon doorheen. Als ik op dat moment was aangereden, was dat Sasha's schuld geweest.

Mijn vader was niet in de kapsalon toen ik thuiskwam. Natuurlijk niet. Eerst kreeg ik de deur van de kapsalon nauwelijks open en toen gleed ik uit over een hoopje vies mannenhaar. Of ik nou struikelde of het expres deed wist ik niet zeker, maar het volgende moment lagen alle scheersetjes en lotionnetjes op dat stomme zelfgebouwde plankje van hem door elkaar. Er spatte er één kapot op de stenen vloer. Nu stonk de hele winkel. Ik liet alle troep liggen en liep door de vieze keuken naar de boot.

Misschien sliep hij weer. Nee. Hij was weg. De doos stond nog steeds naast zijn bed op de grond, die had ik daar expres laten staan om hem te laten weten dat ik hem doorhad. Dat ik het wist van de jurk. Blijkbaar kon hem dat niks schelen. Op zijn bed lagen ook allemaal vieze kleren. Daar sliep hij gewoon tussenin.

Ik trok mijn kussen weg. De jurk was enorm verkreukeld door mijn vaders rugzak. Er hadden ook allemaal onderbroeken in die rugzak gezeten. Dus eigenlijk was de jurk nu verpest, rook hij naar mijn vaders kont. Ik veegde al zijn vieze spullen weg en ging met de jurk tegen me aan op zijn bed zitten. John had het verpest. Hij had alles verpest. Hij moest gestraft worden.

Mijn hart kneep samen en mijn handen werden vuisten. Ik duwde ze naar elkaar toe en rukte ze uit elkaar, weer naar elkaar toe en weer uit elkaar. Tot het scheurde. Tot de jurk scheurde. Alsof de jurk naar mijn hart luisterde.

Het was lekker, het scheuren. Het was bovendien zijn verdiende loon, van mijn vader dan. Hij was er niet, terwijl hij er wel moest zijn. Hij had onze vrijdag afgezegd. Het was lekker en vreselijk en het ging heel snel. Voor ik het wist was de jurk in twee stukken. Ik liet de stukken op de grond vallen en verstopte me onder zijn dekens.

Heel even.

Daarna kwam ik weer omhoog, ik pakte de stukken en verstopte ze onder mijn kussen. Ik liet mijn hoofd op het kussen vallen en deed mijn ogen dicht, hield mijn adem in. Dit was onder water zwemmen. En toevallig was ik heel goed in onder water zwemmen.

Nog tien minuten lag ik daar, tot ik een raar geluid hoorde. Er werd geklopt. Er werd buiten in de tuin op de buik van de boot geklopt. Ik schoot overeind en klom omhoog, het dek op.

Er stond een agent bij de hoge trap die we tegen de boot aan hadden gezet. 'Wie bent u?' vroeg hij.

Iets in mij dacht: huh, een agent in míjn tuin, tegen míjn boot aan, en hij vraagt wie ik ben? Maar het was een agent. Dus zei ik: 'Olivia Marenburg.'

'En u woont hier?'

Ik knikte.

'Alleen?'

Daar moest ik een beetje om lachen, maar hij niet.

'Met mijn vader.'

Hij knikte en vroeg: 'Weet u wat er in de kapperszaak aan de hand is?'

Ik begreep hem niet.

De agent schraapte zijn keel. 'De voordeur stond open, en toen ik naar binnen liep, zag ik dat er wat gevallen was. En toen ik doorliep naar achteren stond de deur naar de tuin ook open.'

'O, dat is niks,' zei ik, maar mijn schouders werden van schrik helemaal stijf. O nee. Ik had natuurlijk alle deuren open laten staan.

'Waar is uw vader?' vroeg de agent.

Ik trok mijn schouders nog iets hoger op.

'En hoe oud bent u?'

'Tien, bijna elf.' Dat laatste was niet waar, maar het leek me slim om te zeggen. Omdat de agent alsmaar 'u' tegen me bleef zeggen begon ik behoorlijk ongerust te worden. Hij zag er zelf niet eens zo heel oud uit. In ieder geval jonger dan mijn vader.

'Is er iets met mijn vader?' vroeg ik.

'Niet dat ik weet. Is er iets met uw vader?' Hij keek oprecht geïnteresseerd.

Nu was ik niet alleen ongerust, maar ook een beetje in de war. 'Olijf, doe die déúr nou dicht,' riep mijn vader altijd. Maar ik had meestal wel iets beters te doen dan luisteren. En daardoor was die agent nu zomaar de tuin in gelopen.

'Kunt u even naar beneden komen?'

Gehoorzaam klom ik de trap af.

De agent was iets in zijn boekje aan het opschrijven. 'Hier.' Hij gaf me het papiertje. 'Uw vader moet me bellen, zo snel mogelijk.'

Ik keek naar het papiertje. De agent had een heel lelijk handschrift, veel lelijker dan het mijne.

'Wat staat daar?'

Hij keek me aan, waarschijnlijk om iets als 'Dat gaat u niets aan' te zeggen. Maar hij zei: 'We hebben een melding gekregen van ongeautoriseerd wonen.'

Ik knikte, maar ik begreep hem niet.

'Een melding van wie?'

'Dat mag ik niet zeggen.'

'En van wat?'

Hij klopte wat zand van zijn uniformbroek.

'U en uw vader mogen niet in een boot wonen. Daar heeft u geen toestemming voor.'

Ik knikte weer.

De agent zag eruit alsof hij het liefst weg zou rennen, maar in plaats daarvan stond hij alweer een tijdje met mij te praten. Ik zou ook een uniform aan doen als ik zo bang was. Maar niet dit uniform. Het uniform van deze agent was versleten bij de mouwen, en op zijn kraag zat iets wat op eten leek. Ei waarschijnlijk. Opeens moest ik aan Simon denken, de bange man uit ons dorp. Nu wist ik hoe we hem hadden kunnen bedanken: met een uniform. Hij had natuurlijk heel vaak een zwart pak aan, vanwege de begrafenissen, maar een uniform hielp vast nog beter als je bang was voor mensen. Zelfs als er ei op zat.

Zo vriendelijk mogelijk zei ik tegen de agent: 'Zeg maar Olivia, ik ben geen "u".'

'Ik heet Carel. Met een C,' antwoordde hij. Hij leek daar zelf een beetje van te schrikken.

'Dag Carel.' Ik was trots op mezelf. Eindelijk die directe lijn.

'Weet je zeker dat je tien bent?' vroeg Carel. Ik knikte.

Hij schreef iets op zijn notitieblok. Ik vroeg me af wat. *Ze is tien*, misschien.

Voor ik nog iets anders kon zeggen, draaide hij zich om en marcheerde terug naar de kapsalon. Ik liep tot aan de keuken mee en keek of hij echt wel wegging. Toen rende ik naar de voordeur, deed hem op slot en ruimde alle potjes op.

Omdat ik toch al goed bezig was, besloot ik ook de kajuit schoon te maken. Op zijn minst mijn helft.

Toen mijn vader ergens in de middag thuiskwam, had ik thee voor hem gezet. Die was inmiddels een beetje koud geworden. Hij beweerde dat het toch heel lekker was.

'Waarom ben jij al terug?' vroeg hij zodra hij zijn thee op had.

Ik haalde mijn schouders op en zei dat Sasha niet thuis was.

'Waar was jíj?' vroeg ik, en mijn vader haalde zijn schouders op en zei: 'Geld. Jeweetwel.'

Ik vertelde hem dat er tijdens het schoonmaken per ongeluk een flesje lotion kapot was gevallen en hij zei dat dat niet gaf. Toen dronken we nog meer thee, allebei op onze eigen tandartsstoel.

Hij vroeg of er ook koffie was, en ik zei van niet. Toen zei hij dat hij moe was en daarna dat hij misschien een lening ging afsluiten. En ik zei: 'O.'

'Als we meer geld hebben, dan kunnen we ook wat ruimer leven,' zei mijn vader.

'Ik wil niet ruimer leven,' zei ik. 'Ik vind het best in de boot. Voorlopig. En daarna gaan we toch weg.'

'Ik bedoel met "ruimer leven" dat we meer kunnen kopen dan een potje pindakaas.'

'Kunnen we dan ook een keer in een hotel met een bad?' Het floepte zomaar in mijn hoofd.

Hij keek me verbaasd aan.

'Ik heb zo'n zin om weer eens in bad te gaan.' Ik keek hem niet aan toen ik het zei.

Hij raakte even mijn wang aan, trok toen zijn hand weer terug. 'Ik zal erover nadenken.'

We klommen de boot in en zetten de tv aan, een politieserie die mijn vader leuk vond. Er waren zo veel dingen die ik wilde zeggen dat ik niks zei. Ik wilde dat hij een arm om me heen sloeg. Maar hij keek naar het scherm en nam af en toe een slok bier.

Mijn woorden rolden zichzelf in een knoop en gingen in mijn keel zitten.

Tijdens de reclame draaide hij zich opeens naar me toe en zei: 'Gaat het wel goed, Olijf?'

Tranen, een hele golf. Bijna dan. Ik hield ze tegen door heel hard op mijn vinger te bijten. 'Ja best,' zei ik. 'Prima. Geweldig. Fantastisch.' Ik draaide mijn hoofd weg.

Hij zei: 'Dat is dan mooi. Verheugend. Fijn.'

Normaal zou ik daarom lachen.

'Dus het gaat wel,' zei hij ten slotte.

Ik knikte, met mijn gezicht naar de muur.

De aflevering begon weer. Voor het einde hoorde ik hem al naast me snurken. Ik keek naar zijn openhangende mond en zijn slapende hand, die nog op mijn been lag. Toen zette ik de tv uit en ging ik in mijn eigen bed liggen.

Het was maar goed dat alles tijdelijk was. Dan ging dit ook weer over.

11

Er stond een schep naast de boot en mijn vader was al druk bezig met graven. Het was elf uur, ik had zo lang mogelijk uitgeslapen. Door de zon op het dek werd het in de boot zo snel heet dat we volgens mijn vader het gevaar liepen om gestoofd te worden.

In de tuin, links van de keukendeur, was mijn vader bezig.

'Wat doe jij nou weer?' vroeg ik.

Mijn vader wees naar mijn schep. 'Aan het werk!'

Het was nog steeds vakantie en ik was eigenlijk van plan geweest om even heel koud te gaan douchen en dan te zonnen op het dek met een boek.

'Komopnou,' zeurde mijn vader.

Ik zocht de goede woorden voor 'jurk' en 'scheuren' en 'Sasha de verrader', maar ze zaten nog steeds als een prop in mijn keel. 'Even wat melk,' hoestte ik.

We groeven een uur, en daarna dronken we nog meer melk naast het gat. Ik had mijn geluksjas aan, want buiten was het niet zo warm als in de boot.

'Opa heeft gebeld.' Mijn vader rookte een sigaret. Eigenlijk was hij al heel lang gestopt en rookte hij alleen nog maar stiekem, maar blijkbaar was dat stiekeme eraf.

Ik veegde met een zanderige hand wat zweet van mijn gezicht. Ik had nog niet eens gedoucht. Een andere vader zou zeggen: 'Ga eerst maar douchen, lieverd. Daarna sla ik mezelf voor mijn kop omdat ik je moeders jurk heb gepikt. En daarna geef ik mezelf een draai om mijn oren omdat ik niet thuis was toen je me nodig had. Natúúrlijk kan jij er niets aan doen dat de jurk nu stuk is.'

Of zoiets.

'Wat zei opa?'

'Hij wilde weten wat ons adres is.'

'Weten opa en oma niet waar we wonen?'

'Ze wisten het wel,' – hij draaide wat onrustig heen en weer – 'maar ze wilden het zeker weten. Ik was nogal in de war toen we weggingen. Ik probeer heel erg dat niet meer te zijn.'

Ik nam een slok melk. Misschien moest ik hem nu van die agent vertellen. Maar ik kon zien dat hij nog meer wilde zeggen. Hij had weer zo'n rood hoofd, en van die rode ogen.

'Ik heb iets stoms gedaan,' fluisterde hij ten slotte.

'Wat dan?'

'Ik heb ze een vals adres gegeven.'

'Opa?'

'Nee. Opa niet.'

'Wie dan?'

Hij begon te huilen en fluisterde iets onverstaanbaars.

'Wie?' zei ik nog eens.

'Die van de urn. De uitvaartmeesters. Of hoe heet het. Die kraaien, die zwarte jassen. Simon.'

'Een vals adres?' Mijn mond viel open. Dat deden grote mensen toch niet?

'Opa kon het ook al niet geloven. De urn heeft een tochtje door het land gemaakt en is nu weer terug in Friesland. Daarom belde opa. Om te roepen dat ik nog steeds kinderachtig ben. En hij had gelijk.' Mijn vader klonk heel klein toen hij dat zei.

Ik pakte zijn hand en aaide zijn vingers. Hij was stom, maar hij was wel mijn vader. Op zijn wijsvinger zaten meer haren dan op zijn andere vingers. Ik vroeg of hij ooit zijn wijsvingers had geschoren en hij lachte een beetje.

'Het is zo moeilijk om over haar te praten nu ze er niet is,' zei hij tussen de snikken door. Ik dacht aan de jurk en knikte. Ik bleef zijn hand aaien en wachtte tot het huilen wat minder werd. Ik kon nu niet van agent Carel vertellen.

'Arme urn, de hele tijd onderweg,' snikte mijn vader.

'Gelukkig hield mamma van reizen,' zei ik. Daar moest hij nog harder van huilen, en lachen tegelijk.

Ik gaf hem een slokje van mijn melk. Ik zag het voor me. Die urn die in zijn eentje het land doorkruiste. Op zoek naar ons. Dat er werd aangebeld bij een ander adres, en Simon die in zijn zwarte pak angstig stond te bibberen met die urn. En dat er dan niemand 'boe' tegen hem zei.

'Had je niet gewoon kunnen vragen of ze de urn nog even wilden bewaren?'

'Ik was in paniek. Weet je, als ik aan haar denk gaat mijn hand trillen. Als ik zo tril knip ik per ongeluk in een neus. Dan worden de klanten boos. We hebben alle klanten nodig die we kunnen krijgen.'

Ik stelde me al die bloedende neuzen voor en grinnikte, ook al wilde ik niet grinniken.

'Toch?' zei mijn vader uiteindelijk.

Ik knikte ernstig.

We begonnen weer te graven. Ik zweette heel erg in mijn

geluksjas. Maar ik trok hem niet uit. Het zweten was een straf voor het stukmaken van de rode jurk.

'Walvisboot,' zei mijn vader opeens. Hij wees naar de boot.

Voor ik iets kon zeggen, had hij zijn schep al laten vallen en holde hij de kapsalon in. Hij kwam terug met een bakje, waar hij zijn kwast in liet rondtollen. Typisch iets voor hem, aan het ene beginnen en daar dwars doorheen iets anders gaan doen.

WALVISBOOT. Het stond er heel even, in zwierige scheerschuimletters. Toen veranderde het woord in haast lichtgevende strepen, die naar beneden liepen over de groezelige huid van het schip.

'We moeten er nog iets tegenaan gooien,' zei mijn vader. 'Een biertje misschien.'

'Nee, wacht.' Ik griste het bakje uit zijn handen.

Zo groot als ik kon schreef ik over de hele buik: MOEDERSCHIP. En toen, na een kleine aarzeling, daar doorheen: MAMMABOOT.

Opgetogen klapte mijn vader in zijn handen. 'Nu heeft ze er drie. Als we nú niet beschermd zijn! De boot wordt er ook zo lekker schoon van.'

We keken stil toe terwijl de woorden in de grond verdwenen. Er reed een auto voorbij. Een hond kefte. Het klonk als een klein hondje. Een poedel misschien.

'Weet je wat,' zei ik, 'we zetten de wereld stil. Dat scheelt een boel gedoe.'

Ik deed een stap naar achteren, precies op de rand van het bakje scheerschuim. Ik viel op de grond met scheerschuim tot in mijn oren.

Boven me klonk gesnuif.

'Nu moet je ophouden met huilen hoor!' zei ik.

Het gesnuif ging door. Ik veegde het scheerschuim weg en keek hem aan. Hij huilde helemaal niet, hij lachte.

Ik gaf hem een duw, hij gaf mij een duw, ik sprong tegen hem op en hij deed alsof hij omviel, alsof ik gewonnen had.

'Je gaat een vrolijker, verantwoordelijker vader krijgen,' zei hij. 'Ik ga mijn best doen, Olijf. Plechtig beloof ik bij dezen dat ik niet meer zal huilen.'

Toen brachten we de vieze kleren naar de wasserette. Zodra we terug waren ging mijn vader op het dek liggen. Ik trok in de snikhete kajuit mijn te strakke badpak aan, met mijn jas eroverheen.

Mijn vader fronste toen ik naast hem ging liggen. 'Hé, er zaten toch sliertjes aan die jas? Heb je die eraf geknipt?'

'Nee hoor. Dat dacht je maar.'

'O. Jammer. Ik vond die sliertjes wel leuk.'

Mijn vader lag al snel te snurken, terwijl ik zonder te lezen naar mijn boek staarde en zweette. Mijn vader was moe van het werken. Ik was ook moe. Van het niet-huilen.

Mijn moeder vond het meestal wel grappig als mijn vader kinderachtig deed. 'Ik heb twee kinderen,' zei ze dan.

Ik luisterde naar mijn vaders gesnurk en zag alsmaar mijn moeder naar me glimlachen. Hoe kon ik nou boos op hem zijn als hij zo zijn best deed?

Glimlachglimlach. Dat ze er geen kramp in haar kaken van kreeg.

12

Sasha zag ik pas na de vakantie weer, in de klas, toen de bel
al was gegaan. Ik ging niet naast hem zitten maar aan een
andere tafel, helemaal achterin. Het was de reservetafel en
de stoel die erbij hoorde wiebelde, want het was de reserve-
stoel. Er werd een beetje gejoeld toen iedereen eenmaal
doorhad dat ik ergens anders zat, maar niet zo heel hard. Ik
loerde om me heen om te zien hoe dat kwam. Milena deed
niet mee. Ze was er wel, maar ze zei niks. Ze keek zelfs niet:
ze zat in haar schrift te schrijven. Ik keek naar haar pen. Hij
was roze met glittertjes. Geen Sasha-pen. Gelukkig.
Jenny vond het blijkbaar goed dat ik daar zat. Ze was druk
met het uitdelen van alweer een oefentest. Iedereen kreunde.
'Veel plezier jongens!' zei Jenny.
Milena zei niets bijdehands terug. Mijn moeder zou zeggen
dat haar bijdehandjes op waren.

In de pauze ging ik direct naast de deur bij de klimplant
staan. Ik trok er een blaadje af en begon dat te pellen. Venij-
nige rukjes gaf ik, mijn vingers werden nattig van het sap.
Ik had al snel een hand vol stukjes groen.
Ik zag een spin en had zin om die ook te pakken en uit elkaar
te trekken, maar hij had zo veel kriebelpootjes dat ik niet
durfde.
Na de pauze besloot ik dat ik, omdat ik toch de hele ochtend

al geen woord had gezegd, ook de hele middag wel mijn mond kon houden.

Dat was niet eens zo moeilijk, want Jenny liet ons voor onszelf lezen.

Toen ik naar huis sjokte, stopte er iemand met piepende remmen naast me. Sasha.

'Het is niet wat je denkt. Dus,' begon hij. Ik bleef doorlopen.

'Echt niet.' Hij kwam naast me fietsen. Ik draaide scherp naar links en liep een smalle steeg in.

'Olivia.' Hij paste niet met zijn achterlijk brede mountainbikestuur in de steeg.

'Olivia! Ze is gewoon...'

Ik sloeg een hoek om en hoorde hem niet meer.

Pas toen ik bij de kapsalon was, keek ik om me heen. Eigenlijk stom dat hij me niet hier had opgewacht. Hij wist toch dat ik naar huis ging.

Mijn vader was de plek voor een tweede plankje aan het opmeten toen ik binnenkwam. Dat verbaasde me, want mijn vader kon helemaal niet klussen. In de tuin lag ons onafgemaakte gat; ik wist nog steeds niet waar het voor diende.

'Kom even bij me zitten,' riep hij en klopte op de tweede tandartsstoel.

'Het wordt zo'n mooie verrassing, Olijfje liefje!' riep hij, in zijn handen wrijvend. 'Ik heb een schema gemaakt: over twee weken is het af.'

Ik bekeek hem achterdochtig. 'Ben je dronken of zo?'

Dat vond hij een ongelooflijk goeie grap. Ter demonstratie van niet-dronken ging hij op één been staan en deed hij een hinkeldansje voor me.

'Dat is het bewijs dat je niet dronken bent?'

'Anders was ik omgevallen.'

Hij ging weer zitten en draaide zich naar me toe. Greep mijn knieën, kneep erin. 'Weet je, Olijf, ik heb nagedacht. En je hebt gelijk.'

'Ik heb gelijk?'

'Ik moet verder.'

'O.'

Hij stond op. 'Om dat te vieren gaan we straks taartjes eten.'

'Hoezo?'

'Mag een vader zijn dochter niet mee uit eten nemen?'

Ik was niet overtuigd. Dit was vast weer een fase. Vroeger had mijn vader ze ook al. Dan moest opeens alles anders. Kwam ik thuis van school, was hij de hele tijd de trap op en af aan het rennen. 'Dit doe ik voortaan elke dag,' riep hij erbij. Bleek hij zijn buik te dik te vinden. Na drie dagen stopte hij met rennen omdat het niet hielp, en dan liep hij een paar dagen te mopperen. Een week later had hij voor ons alle drie een step gekocht. Stepte hij voor de deur op en neer, juichend. Om je dood te schamen.

Hij had ook iedere lente de fase 'fikkie stoken'. Hij had speciaal een voorraad grote luciferdozen en kon zich al dagen van tevoren verheugen. Midden in de nacht maakte hij me dan wakker en fluisterde: 'Het is zover.' Hij vond namelijk dat er ieder jaar een perfect moment was om met fikkie stoken te beginnen. Soms kwam dat moment 's avonds, soms 's nachts, soms 's ochtends. Mijn moeder en ik slopen mee naar de vuurplek. Mijn vader had dan al een stapel hout neergelegd en wel drie pakken marshmallows. Hier in de stad was het al een tijdje lente, maar fikkie hadden we nog niet gestookt.

Er was in het centrum een echte 'taartjessalon'. Het interieur was wit en alle stoelen waren klein en hadden gekrulde pootjes, dus als je heel dik was zakte je daar zeker doorheen. Dat begreep ik eigenlijk niet, dat ze dat soort stoelen hadden in een zaak waar ze taartjes verkochten. Waarom zetten ze niet van die extra brede banken neer waar je met zijn vieren op kon, maar waarvan je kon doen alsof het een eenpersoonsstoel was als je echt heel dik was?

Terwijl we allebei op zo'n klein stoeltje gingen zitten legde ik dit voor aan mijn vader, maar hij wilde eerst bestellen. Onze taartjes kwamen meteen en toen ik er opnieuw over wilde beginnen zei hij: 'Even niet, Krump, ik ben mijn moorkop op volwassen wijze aan het opeten.' Het deeg was taai en schoof weg van zijn vork. Overal zat slagroom.

Hij keek op. 'Vroeger hield ik zo erg van moorkoppen dat ik er elke dag eentje at. Tot ik er doodziek van werd en al bijna ging overgeven als ik een moorkop zag. Nu eet ik ze nog maar één keer per jaar.'

'Waarom?'

'Om te proeven of ik ze nog steeds zo vies vind.'

'En?'

Mijn vader grijnsde, hij had eindelijk een groot stuk te pakken. 'Zo vies dat ik er straks misschien nog eentje neem.' Ik nam een hap van mijn taartje met aardbeien en gele blubber. 'Het wordt tijd dat ik ga koken, het enige gekookte wat we nu eten is cake,' zei hij even later, nadat we een tweede ronde taartjes hadden besteld.

'Je bákt een cake,' zei ik.

'En misschien moeten we het ook niet meer alle vrijdagen doen, zo met zijn tweeën.'

Ik keek verschrikt op.

'Ik bedoel...' Hij kreeg zijn tweede moorkop, ik een nog geler taartje dan mijn vorige dat naar banaan smaakte en dat me aan wolken deed denken. 'Ik bedoel dat er ook wat ruimte moet zijn voor de rest van de wereld. Niet wij tweeën op een eilandje.'

Ik nam een hap. 'Ik hou toevallig heel erg van cake. Misschien kunnen we er een keer marshmallows in doen.'

'Morgen koop ik een gasstel voor in de kapsalon. Dat ene pitje dat we nu in het keukentje hebben, slaat natuurlijk nergens op. En we moeten ook eens gaan nadenken waar we hierna gaan wonen.'

Ik schrok. Wist hij al van agent Carel en zijn papiertje? Net toen ik besloot iets over Carel te zeggen, sprong hij op en riep: 'Dat is nou toevallig, Sonja!'

In de deuropening van de taartjeszaak stond een bolle vrouw met bruin poedelhaar, met op haar gezicht een domme grijns. Ik herkende haar meteen van die avond in de kapsalon.

'Het financiële wonder!' riep mijn vader.

Ik had op slag geen trek meer.

Sonja had een klein plakkerig handje, waarmee ze heel hard in de mijne kneep. Ik voelde haar nagels prikken.

'Olivia,' zei ze. 'Je bent nog mooier dan je vader al vertelde. Een Friese schone.' Ik zag heus wel hoe ze naar mijn vader keek. Haar stem klonk laag, ik rook aan haar dat ze rookte.

'Wil je ook een taartje?' vroeg mijn vader.

Ik wilde bijna zeggen 'Je mag die van mij wel,' maar toen bedacht ik dat ze mijn taartje helemaal niet mocht. Ik ging het gewoon onopgegeten laten staan. Een Friese schone. Dacht ze dat ik gek was of zo? Zo schoon voelde ik me trouwens niet. Ik krabde aan mijn hoofd.

Sonja ging op een stoeltje zitten. Haar dijen puilden er aan alle kanten overheen.

'Sonja heeft me haar fiets geleend,' zei mijn vader. 'Lief hè?'

'Nou ja, lief,' zei Sonja, 'ik had net een nieuwe gekocht, dus deze was reserve.'

'O,' zei ik, 'mijn dode moeder noemde dat verkwisting. Ze zei altijd: "Als je er maar één nodig hebt, hoef je er maar één te hebben."'

Daar was Sonja gelukkig even stil van.

'Wil je een stukje van mijn taartje?' vroeg mijn vader aan Sonja. In plaats van 'Nee, ik zal een rotje in mijn kont stoppen en mezelf opblazen,' zei ze: 'O, wat lief! Waarom niet. Het is toch maandag.' Alsof dat ergens op sloeg.

Ik keek naar mijn vader die met zijn vorkje netjes een stukje moorkop probeerde af te snijden. In mijn hand had ik het papiertje van Carel. Ik verfrommelde het.

13

Sonja bleef maar roepen dat ze het zo gezellig vond. Ze had een zweetsnor op haar bovenlip. We waren klaar met de taart en liepen terug naar de boot. Ik informeerde of Sonja niet naar huis moest, maar ze zei: 'Ik woon boven de kapsalon. Had je vader dat niet verteld?'

'O ja,' was het enige wat ik kon verzinnen.

Onderweg haalde mijn vader eten bij de Surinamer – dat hij na twee taartjes nog honger had – en ook een fles wijn.

Eenmaal in de tuin rende hij de boot in, om naar buiten te komen met zijn eigen deken. Die spreidde hij op de paar graspolletjes uit terwijl hij als een peuter 'Picknickenpicknicken!' riep. Ik schaamde me dat hij zo overdreven deed.

Meteen klom hij weer naar binnen, terwijl hij 'Meer dekens meer dekens!' riep.

'Nee!' riep ik. Onder mijn kussen lag de jurk. De kapotte jurk.

Zo snel ik kon klom ik achter hem aan, maar het was al te laat. Toen ik binnenkwam zat hij op mijn bed met de kapotte jurk in zijn handen. Met grote ogen en zijn mond een beetje open, alsof hij wou gaan praten maar halverwege was vergeten hoe dat moest.

'Gaat het daarboven?' Sonja stond buiten bij de boot en klonk alsof ze dacht dat we een spelletje speelden. 'Wel hoog hoor, die trap. Zal ik boven komen?'

Ik zag het al voor me, dat die olifant naar boven klom. Viel de boot vast om.

'Olivia!' Zijn stem deed pijn aan mijn hoofd, zo hard schreeuwde hij, terwijl ik toch vlak bij hem stond. Ik rende van hem weg, het dek op. Hij kwam achter me aan gestampt, de jurk nog steeds tegen zijn borst.

'Maar jij had hem in je rugzak!' Ik klonk als een piepkuiken. Ik wilde dat Sonja per direct zou oplossen in het niets. 'Met je vieze onderbroeken erop!'

'Ik had die jurk niet verstopt. Ik had hem... veilig gesteld.' Mijn vaders gezicht was net zo rood als de jurk. Veilig gesteld. Tegen Schele Nelie zeker. 'En het waren schone onderbroeken,' voegde hij er een stuk zachter aan toe. 'We zouden de Belangrijkste Dingen meenemen, weet je nog?'

Ik kon hem bijna niet verstaan toen hij dat zei, maar dat kwam ook doordat het zo hard stormde in mij. Hij had de jurk meegenomen. Zonder iets tegen mij te zeggen. Dus de jurk was wel belangrijk, maar ik niet. Zo ging het nu de hele tijd. Hij besloot alsmaar dingen in zijn eentje en zei daarna dat we zo samen waren.

'Ik–' Hij begon nog iets te zeggen, maar ik schreeuwde door hem heen: 'Jij bent ook altijd aan het werk!'

'Wat heeft dat er nou mee te maken?'

'Alles!'

'Olivia Marenburg!' Ik wist zeker dat hij dat zei om Sonja te laten zien dat hij mij goed opvoedde.

Ik klom de trap af.

'Jongedame, blijf eens staan.'

Ik was al in de tuin.

'Olivia!'

Mijn vader kwam nu ook naar beneden.

'Olivia...' begon hij nog eens, maar hij klonk opeens niet zo bulderend meer.

Ik liep naar de keukendeur. Sonja stond tussen mij en mijn vader in. Ze keek van de een naar de ander. Alsof we een tenniswedstrijd speelden.

'Olivia...' Zijn stem brak. Hij huilde weer eens.

'Ach jongen,' hoorde ik Sonja zeggen met een stem vol medelijden.

'Ik vind het zo moeilijk,' huilde mijn vader, maar niet tegen mij.

'Ben jij nou volwassen!' gilde ik heel erg hard. Ik voelde het raspen in mijn keel. 'Ben jij nou volwassen en vrolijk en niet-huilend?'

Ik bleef nog net lang genoeg bij de keukendeur staan om te zien hoe Sonja hem op zijn arm klopte. Hij snikte zo hard dat hij mij niet eens meer zag.

Ik ging in de kapsalon in de tandartsstoel zitten. Buiten begon het donker te worden. Ik trok aan het hendeltje aan de zijkant en zakte met een zucht omlaag. Daarna stond ik op en trapte met het voetpompje de stoel omhoog. Ik ging weer zitten en liet de lucht weglopen. Ik ging net zo lang door met pompen en zakken tot mijn vader zijn hoofd om de hoek stak en zei: 'Ze is weg.'

Ik zei: 'Mooi!' Het klonk nogal schor.

Daarna zeiden we niets meer. Ik liep achter hem aan naar de boot en ging in mijn bed liggen. De kapotte jurk was verdwenen. In het donker luisterde ik naar de ademhaling van mijn vader.

De volgende dag voelde mijn keel alsof iemand er een dek-schrobber in had gestopt.

Eerst moest ik heel hard hoesten, daarna had ik geen stem meer. Op school maakte het niet uit dat ik niet kon praten, want er was toch niemand die iets aan me vroeg.

Mijn vader gaf me 's avonds een kopje bouillon. Ik wist niet eens of hij wel wist dat ik mijn stem kwijt was. Dus schreef ik in mijn Tresemmé-schrift: *Ben mijn stem kwijt*. En liet het zien.

Hij bromde: 'Mooi.'

Dat vond ik zo onrechtvaardig dat ik wilde roepen, maar er kwamen alleen maar zielige piepjes uit. En juist nu moest mijn huilebalkvader niet om mijn zieligheid huilen.

Op vrijdag besloot ik dat de ruzie over was. Ik was nog wel boos, maar ik voelde me nog veel meer alleen. Bovendien had ik zin in cake.

's Ochtends maakte ik koffie voor mijn vader, die ik bracht aan de bundel dekens waarin hij zich had verstopt. 'Hier, koffie,' en toen hij niet reageerde voegde ik er overdreven vrolijk aan toe: 'en niet alle melk opdrinken hoor, vanavond gaan we cake bakken.'

Ik wist het niet zeker, maar ik dacht dat de bundel dekens knikte.

Daarna ging ik naar school, naar mijn wankele tafeltje. Sasha was er niet. Milena ook niet. Het was net alsof ik niet bestond. Niemand zei iets tegen me, ze liepen nog net niet door me heen. Ik staarde met mijn pen in mijn hand naar buiten en had zin om hem verkeerd om in mijn mond te stoppen, dan kreeg ik blauwgevlekte lippen.

Maar ik deed het niet.

Thuis dook ik meteen via de tuin de keuken in om te checken wat we nog nodig hadden voor de cake. Mijn vader had twee klanten. Eigenlijk had ik gehoopt dat hij de spullen al klaargezet zou hebben en dat er misschien marshmallows zouden zijn. Dan liet hij tenminste zien dat ik ertoe deed. Dat hij dan wel verder ging met zijn leven, maar wel met mij erbij.

Er was geen meel, geen boter. Voor de zekerheid trok ik ook nog even de koelkast open. De melk was op.

De melk die speciaal op dit moment had moeten wachten.

Ik stormde de kapsalon binnen.

'De melk is op!'

Mijn vader hield net zijn scheermes onder een kin.

'De melk is op!' gilde ik nog eens.

'Ik had nieuwe willen kopen, maar...'

Ik sperde mijn ogen open in verbijstering. Hij had onze speciale melk opgedronken. Alsof het niets was.

'Olijf!'

Ik stampvoette de tuin in, struikelde over een steen, hinkte de trap op en liet me zonder mijn schoenen uit te doen op zijn bed vallen.

Het duurde lang, heel lang, voor mijn vader eindelijk zijn klanten had geknipt en geschoren.

Ik voelde de boot wiebelen toen hij omhoog klom.

'Jongedame, ik had gezégd dat we niet alle vrijdagen...'

'John! Maar je had niet gezegd nu metéén.'

Hij ging op de rand van het bed zitten. Zijn handen trilden, zag ik, dat deden ze altijd als hij overstuur was.

Ik ging overeind zitten. 'Het is jouw schuld, jij hebt de melk opgedronken.' Ik voegde eraan toe: 'Jij doet ook altijd alles fout.'

Hij haalde diep adem.

'Ukkel!' Ik zei het vrij zachtjes.

Opeens bulderde hij: 'NU IS HET GENOEG.'

Hij trok me hardhandig uit bed, ook al stootte hij zijn hoofd bij het omhoog komen.

'KINDERMISHANDELAAR!' hoorde ik mezelf gillen.

Zijn hand kneep in mijn arm.

'Olijf, ik doe mijn best om me in te houden, maar–'

'Ik hoef al geen cake meer!'

Wat dacht hij wel. Met zijn financiële wonder en zijn gepraat over verantwoordelijker worden. Verantwoordelijker me hoela.

'STOMME UKKEL!' gilde ik.

'Olijf, nu is het genoeg.'

'GENOEG?! JA! MEER DAN GENOEG!'

'Olijf! Niet zo gillen!'

'STOMME UKKEL!' riep ik. En toen nog eens. En nog eens. Toen gaf hij me een lel. *Pets!* hoorde ik in mijn hoofd. Geluid van binnenuit. Even voelde ik niks, daarna begon het heel erg te prikken en werd mijn wang warm. Ik had mijn hand ertegenaan gedrukt en keek mijn vader aan. Hij had zijn hand nog in de lucht. We keken elkaar even heel verbaasd aan en toen begon hij heel even te lachen, wat overging in – hoe kon het ook anders – een grienpartij.

'O Krump, dat was niet de bedoeling, dat was helemaal niet de bedoeling.'

'O ja,' zei ik ten slotte, mijn stem klonk heel rustig en streng en volwassen. 'Er is een agent langs geweest. We mogen niet meer in de boot wonen. Ik denk dat we beter terug kunnen gaan naar Friesland. Naar opa en oma. Die zijn tenminste wél volwassen.' Ik diepte het verkreukelde papiertje op, gooide het naar hem toe. Toen liet ik me op mijn bed vallen en verstopte me onder mijn kussen.

Mijn vader vertrok.

Ik bleef met het kussen over mijn hoofd liggen.

Ik viel in slaap.

Uren later werd ik wakker, een beetje verbaasd dat ik zomaar had geslapen. Ik moest heel nodig plassen. Het was al donker buiten, maar in de keuken van de kapsalon zag ik een donkere schaduw zitten. Het was mijn vader, op een krukje, met zijn hoofd in zijn handen.

Er zaten zo veel tranen achter mijn ogen dat mijn hoofd ervan bonkte en ik niet goed kon zien. Ik struikelde alweer. Over de drempel dit keer.

'Olijf,' zei hij, toen ik de wc uit strompelde en weer langs hem heen wilde lopen, terug naar de boot.

Ik bleef staan.

'Ik bedoelde het niet zo, dat weet je toch?'

Mijn wang was niet dik geworden. Dat had ik daarnet in de spiegel van de wc gezien.

'Wanneer heb je dat papiertje gekregen?'

Ik mompelde iets.

'Waarom heb je het niet eerder gezegd?'

Ik mompelde weer iets. Dat het laat was, dat ik wilde slapen. We stonden een tijdje zwijgend in de keuken. De koelkast sloeg zoemend aan.

'Ik wil hier blijven,' zei mijn vader tenslotte.

De koelkast rinkelde een beetje. Ik vroeg me af wat er rinkelde.

'Ik wil hier blijven. Sonja zei zelfs dat ze ons wel een kamer wil verhuren. Ze heeft veel ruimte, haar man heeft haar verlaten.'

Bij 'haar man heeft haar verlaten' maakte ik een 'vindjehetgek'-geluid.

Hij keek me strak aan. 'Ik snap dat je dat niet leuk vindt, maar je moet niet zo onaardig tegen Sonja doen. Ze helpt ons.'

In mijn buik brandde het. Vuur dat zich niet liet blussen. Wat nou, helpen. We hadden een afspraak! Ik was speciaal voor hem in die stomme boot gaan wonen. Ik had voor hem gezorgd, ik had zijn handen geaaid. We zouden weer weggaan! De verrader.

'Weet je wat? Morgen koop ik een extra groot pak melk, en dan eten we cake met Sonja.'

Zoals hij het zei, 'cake met Sonja', klonk het alsof ze slagroom was.

'Maar onze tijdelijkheid dan?' Mijn stem klonk dik en pieperig.

'Dat was maar tijdelijk.' Ik kon horen dat hij moest lachen om zijn eigen grapje. Alleen maar aan zichzelf dacht hij. Alleen maar ik ik ik.

Ik had zin om iets heel erg kapot te maken.

'Niet doen, Olijf,' zei hij. 'Ik kan zien dat je boos bent, maar als je me weer een stomme ukkel gaat noemen heb je huisarrest. Ik ben tenslotte je vader. Denk nou eens na, door

jouw woede is ook al die mooie jurk van je moeder stuk.'
'Stomme...' begon ik.
Hij stond op en greep mijn arm vast. Niet hard, maar streng.
'Olijf,' zei hij dreigend.
'Stomme...' zei ik nog een keer.
'Genoeg.' Hij liet mijn arm los en liep langs me heen de kapsalon in. Bij de deur zei hij: 'Ik ga een eindje wandelen. We moeten vérder, Krump.'
'Hoe zit dat dan met al die seizoenen die eroverheen moesten gaan!' riep ik hem achterna.

14

Dinsdag zat ik in de pauze op de wc en plaste bloed. Ik had kramp in mijn buik en in mijn bovenbenen.

Mijn onderbroek was ook al vies.

Ik wachtte tot de gangen stil waren, propte toen een berg wc-papier in mijn onderbroek en vluchtte naar buiten. Naar huis lopen ging best lastig, omdat het papier in mijn onderbroek bijna meteen begon te schuiven. Ik kreeg een angstbeeld dat er straks bloederig wc-papier uit mijn broekspijp zou hangen, en probeerde sneller te lopen. Mijn buik krampte en ik moest me inhouden om niet hardop te jammeren. Ik passeerde een mevrouw met een hondje. Het beest snufte en probeerde toen achter me aan te rennen. Hij keelde zichzelf bijna – ik was blij dat hij aan de riem zat. Als Milena nu langsfietste met haar vriendinnen, was ik verloren. Dan zou ik me nooit meer op school kunnen vertonen. Of... nee! Ik zou gewoon zeggen dat ik haar met Sasha had betrapt. Ik zou zeggen dat Milena stiekem een relatie had met de schetenjongen.

Ik liep verder. Mijn plan sloeg nergens op. Ik kon Sasha toch niet verraden?

Of wel? Sasha was toch al stom. En we gingen hier toch al bijna weg. En als mijn vader niet weg wilde, dan ging ik in mijn eentje.

Direct door het tuinhek klom ik de boot in. In het voorbijgaan zag ik mijn vader aan het werk. Hij zag mij niet.

Het liefst wilde ik in bed liggen en me onder mijn deken verstoppen. Maar dat kon niet, want dan kwam daar ook bloed op. Ik krabde aan mijn hoofd. Dat stomme knotje begon iedere dag meer te kriebelen.

Uiteindelijk trok ik een schone onderbroek aan en stopte het vieze wc-papier in een zakje dat ik in mijn tas propte. Ik deed dit keer keukenrolpapier in mijn onderbroek en liep naar mijn vaders geleende paarse fiets. Sonja, dacht ik. Ik liet de fiets staan en liep naar de drogist in het centrum.

Traag liep ik langs de schappen met maandverband. Met de namen die erop stonden kon ik niks: GoodNight, String, Normal Clip, Ultra Normal, wat betekende dat?

Het liefst had ik er een waar gewoon 'extra dik' of 'voor de eerste keer' op stond. Liever een luier dan doorlekken. Geen katoenen luier, natuurlijk: oma kon ik ook al niet bellen.

Waarom had mijn moeder niet gezegd wat ik moest nemen? Gewoon een merk en een naam. Nu liet ze me mooi stikken. Bij die drogist.

'Kan ik je helpen?' Ik schrok me rot. Het was een mevrouw van de winkel.

'Ik zoek maandverband,' zei ik zachtjes. Daarna zei ik het nog een keer, iets harder, omdat ze me niet verstond. Ik had laatst een reclame gezien waarin een medewerkster van een drogisterij keihard door de zaak riep of er nog condooms waren, en nu zag ik hoe de vrouw diep ademhaalde om voor mij hetzelfde te doen. Ik rende de winkel uit.

In de bibliotheek was nog net één plek vrij op de computer. Ik typte 'ongesteld' in. School-tv had een filmpje, maar ik zat in de bieb en had dus geen geluid. Er bleek een 'meidenpagina' te zijn. Wat het eigenlijk was, ongesteld zijn. Ik kon vanaf nu zwanger worden.

'Bij meisjes die jonger zijn dan twaalf, kan de vagina nog te klein zijn voor een tampon,' las ik. Ik las ook dat maandverband goedkoper was. Een tampon. Leek me doodeng. Wat als hij er niet in wilde? Of vast kwam te zitten. Of zoek raakte.

Ik bekeek wat plaatjes van maandverband. Iemand had zichzelf als maandverband verkleed. Met bloed op de buik en een reuzetampon in iedere hand.

Er kwam een meneer naast me staan, die duidelijk ook wilde computeren. Ik klikte snel weg en wiste mijn zoekgeschiedenis.

Ik wist nog een andere drogist in de buurt. Dit keer keek ik zo zelfverzekerd mogelijk toen ik Ultra Normal uit de schappen trok. Nog steeds geen idee of het zou passen, maar ik kende de naam van internet, dat gaf een beetje vertrouwen. Gelukkig stond er een ongeïnteresseerd meisje achter de toonbank met lange nepnagels waar gouden glittertjes op zaten. Ik kreeg een tasje.

Thuis ging ik weer via het tuinhek naar binnen en sloop toen via de keuken naar de wc. Daar plakte ik het maandverband in wéér een nieuwe onderbroek. Ik wilde terug sluipen naar de boot, maar mijn vader had me gehoord en kwam met zijn scheermes nog in de hand de keuken in lopen.

'Wat ben jij vroeg thuis.'

Ik wilde een smoes verzinnen, maar er kwam niks.

'Gaat het wel, Krump?'

Ik knikte.

'Wacht even.' Hij liep terug de kapsalon in.

Ik wist dat mijn vader zijn mes zou wegleggen als ik dat wilde. Als er echt iets was, nam hij pauze voor mij. Maar hij hoefde geen pauze te nemen voor mij. Hij was een verrader. Net als Sasha.

Mijn buik krampte en ik ging op de grond zitten. Zomaar op de vieze grond van onze keuken.

Wel een kwartier zat ik op de grond van de keuken. Bij de deur zag het zwart van de voeten. Alle aarde uit de tuin werd hier in de vloer gestampt. We hadden hier voor zover ik wist nog nooit gesopt. Je kon geen volledige schoenafdrukken meer zien, maar ik herkende in een vlek de neus van een van mijn gympen. In een andere dikke klont zag ik nog net de afdruk van de hiel van mijn vader. Ik stelde me voor dat er nu ook hakjesvuil van die Sonja tussen zat.

Mijn vader leunde tegen de deurpost, met zijn armen over elkaar geslagen. 'Wat is er?'

'Buikpijn.'

'Dan moet je in bed gaan liggen.'

We waren nog steeds geen vrienden. Ik kon het aan zijn stem horen.

'John?'

'Olivia?'

'Niks.'

Het gaf een knoop in mijn maag, maar dat kwam misschien ook van de ongesteldheid.

Ik verstopte het pak maandverband onder mijn matras. De vieze verbandjes deed ik in een zakje en het zakje ging ik in een openbare vuilnisbak op straat gooien. Ik zou steeds een

andere uitkiezen, omdat ik niet zeker wist of het wel mocht.
Bloed weggooien.

Mijn vader ging ik het in ieder geval nooit vertellen. Het ging hem niks aan.

15

Ik had hem en Milena de rest van de week niet gezien, maar op maandag stond Sasha bij mijn tafeltje achter in de klas te wachten. Toen ik ging zitten ging hij naast me zitten, alsof dat heel normaal was. Ik draaide me expres zo ver mogelijk van hem weg, maar hij deed alsof hij het niet merkte. Een van Milena's blonde vriendinnen kwam binnen en riep: 'Kijk! Het is weer aan tussen Rat en de Schetenjongen!' Maar toen Milena binnenkwam hoorde ik haar heel duidelijk 'Hou je bek' tegen de nepkrullen zeggen.

Ik pakte Sasha's pen uit mijn tas en legde hem naast mijn schrift. Ik had erover gedacht een andere pen mee te nemen, maar die van Sasha schreef nu eenmaal lekker.

'Gaatie?' fluisterde Sasha.

Ik knikte.

'Ik kan het je uitleggen,' fluisterde hij.

'Oké klas!' riep Jenny. Rekenen, natuurlijk.

In de pauze dook Sasha alweer naast me op.

'Hoi,' zei hij.

Ik keek op van mijn klimplant. 'Moet jij niet...' begon ik, maar ik stopte omdat ik 'op de wc zitten' had willen zeggen. Een paar passen verderop zag ik Milena bij haar vriendinnen staan, die net deden alsof ze ons niet zagen. Sasha keek om zich heen, als iemand die het uitzicht bewondert. Hij pakte net als ik een blaadje en begon er stukjes af te trekken. Toen zei hij: 'Ik ben blij dat je het niet hebt gezegd van mij en Milena... Want zij is dus de vriendin van mijn vader. Dus.'

'Wat? Milena?' Ik sperde mijn ogen open.

'Nee dommie, haar moeder.'

'O.'

Eindelijk. Eindelijk, trage ukkel die ik was, had ik het door. Milena's moeder was met Sasha's vader. Dát was het grote geheim. Daarom deed Milena zo debiel: het coolste meisje van de klas had een moeder die viel op de vader van de grootste ukkel van de klas. Ze schaamde zich.

'Maar waarom kwam je niet, die ene ochtend?' Wat leek de vakantie alweer lang geleden. Ik moest aan dat te kleine badpak denken en dat het misschien maar goed ook was dat we niet waren gegaan. Stel je voor dat Milena er ook was geweest. Maar toch. Híj had gevraagd of ik mee wilde naar het zwembad. En híj was vervolgens niet komen opdagen.

'Ze...' Sasha trok nog een blaadje van de klimplant. 'Mijn vader en haar moeder hadden tegen ons gezegd dat ze...'

'Wat?'

'Gaan trouwen. En we moesten het vieren. Dat weekend. Dus.'

'En dat hadden ze niet aan jullie gevraagd?'

Sasha kneep het blaadje fijn en trok het daarna uit elkaar. Mijn blaadje lag al in gelijke stukjes op de grond. Ik was beter in scheuren dan Sasha, maar ik deed het ook al langer. Ik keek naar Milena, die op haar vaste plek stond. Ze lachte hard en schudde met haar blonde krullen. Maar ze gluurde tussendoor naar ons.

Nu telde ze af: 'Een twee drie!' en met haar twee vriendinnen deed ze wat danspasjes. Ik probeerde me voor te stellen dat ik naast haar stond. Meedanste. Dat een leraar voorbij zou lopen en zou glimlachen. Omdat hij ons stiekem mooi vond. Talentvol.

'Milena moest de hele tijd huilen. Daarom zijn we de afgelopen week weg geweest. "Om aan elkaar te wennen."'

Milena zag dat ik naar haar keek en hield op met dansen. Vroeger zou ze iets gemeens roepen. Nu niet. Nu ik dingen van haar wist. Zouden haar vriendinnen het ook weten? Vast niet.

Hoe goed was je vriendschap als je niet kon vertellen met wie je moeder ging trouwen?

'Vrienden?' zei Sasha.

Ik schudde zijn uitgestoken hand. 'Wacht.' Ik pakte een nieuw blaadje en wreef wat plantenbloed tussen onze handen. 'Vrienden.'

Na school liep Sasha met zijn mountainbike aan de hand mee naar de kapsalon.

Ik wilde hem via het tuinhek naar binnen loodsen, maar voordat ik hem kon tegenhouden liep hij de kapsalon in.

'Sasha,' zei hij tegen mijn vader en hij schudde hem beleefd de hand.

Mijn vader legde zijn schaar weg en zei: 'John.'

'Het spijt me van uw vrouw, meneer,' zei Sasha.

'Dank je wel,' begon mijn vader te zeggen, maar Sasha was nog niet klaar.

'Mijn vader heeft een vriendin die de moeder is van een meisje uit mijn klas. Dat is ook lastig. Maar dat uw vrouw

met een Amerikaan de ruimte in gaat, dat lijkt me dus... uh...
nog veel lastiger.'

'Ja,' zei mijn vader, 'en ietwat onwaarschijnlijk.'

Ik trok Sasha snel mee de tuin in.

'Hier woon je. Dus,' zei Sasha. 'Wat is dat plastic zeil daar op
de grond?'

'Mijn vader is een verrassing aan het bouwen.'

'Wanneer is het af?'

'Het komt niet af, denk ik.'

'Waarom niet?'

Ik haalde mijn schouders op. Ik wist niet waar ik moest beginnen met uitleggen. Er was een muur tussen mij en mijn
vader gegroeid die uit heel veel boze stukjes bestond. En
steeds als we er een stukje af haalden, kwam er gewoon weer
een nieuw stukje bij.

'Er komt stoom vanaf.'

Sasha had gelijk. Het plastic dampte.

Hij probeerde wat plastic weg te trekken, maar het zat stevig
vast.

'Wat is het nou?' zei hij op een zeurtoontje.

'Een dampende ufo, nou goed?'

We lachten allebei.

Daarna klommen we op het dek en liet ik Sasha de binnenkant van de boot zien. 'Klein,' was het enige wat hij zei.

Ik liet hem zien hoe snel ik in en uit de boot kon klimmen. Ik
was er heel goed in geworden, dat kon ik extra goed zien
doordat Sasha steeds wiebelig achter me aan klauterde.
We vielen er een keer samen af – van de laagste trede – en rolden net als bij het schommelen nog even door over de grond.

Opeens stond mijn vader naast ons. We sprongen overeind. Ik probeerde Sasha mee te trekken de tuin uit, maar Sasha bleef beleefd staan.

Mijn vader kuchte even. 'Olivia heeft het misschien niet verteld omdat ze het moeilijk vond, maar mijn vrouw had geen ander. En ik vind het erg dat je dat denkt.'

Sasha keek even naar mij. Ik staarde naar de grond.

'Olivia's moeder is namelijk dood.' Het leek alsof mijn vader daar nog iets aan toe wilde voegen, maar hij stopte bij 'dood'.

'O,' zei Sasha, alsof hij dat wel gedacht had. 'Als je dood bent is het wat moeilijk om een ander te hebben.'

'Precies.'

Toen pas kon ik Sasha meetrekken naar buiten. Naar de schommels en de grote boom.

Daar zaten we een tijdje. Sasha wachtte blijkbaar tot ik iets ging zeggen, maar ik had niks te zeggen. Als ik wat ging zeggen verdronk ik vast. En daar had ik geen zin. Dus begon ik te schommelen, en hij volgde. Steeds hoger schommelden we en op het hoogste punt sprongen we eraf. We rolden over elkaar heen, lachten, bleven net iets te lang liggen.

Het voelde goed.

Mijn vader was er niet toen ik terugkwam.

Ik ging naar de keuken en maakte wat boterhammen. Ik krabde op mijn hoofd. Ik ging met de boterhammen naar de boot en at ze op. Toen het donker werd, liet ik de lamp uit.

Mijn goede gevoel van eerder was verdwenen. Alsof ik voor een reuzesom van Jenny zat en niet wist waar ik moest beginnen.

Er zoemde een liedje door mijn hoofd. Een liedje dat mijn

moeder soms kon zingen als ze aan het schrijven was.

Een beetje toonloos, zonder woorden: 'Hmmmm, hmmmm, hmmmm.'

'Wat zing je?' vroeg ik een keer.

Ze keek op, met die glimlach van haar. 'Niks, ik breng gewoon geluid voort.'

'Waarom breng je geluid voort?'

'Om te horen dat ik besta.'

Dat deed ik dus ook maar. Geluid voortbrengen.

'Hmmmm, hmmmm, hmmmm.'

Ik wilde zo graag dat mijn vader nu binnenkwam en dat het weer goed zou zijn dat het pijn deed.

Hij was vast bij Sonja.

Hij had vast zijn arm om Sonja heen. Of ze zoenden.

Het idee dat mijn vader met mijn moeder had gezoend, met hun mond open en met hun tongen, vond ik al smerig. Maar met een andere vrouw... Juch. 'Er is niets tussen ons,' had hij gezegd. Maar ik had ogen. Toevallig.

Ik kleedde me uit en trok een T-shirt van mijn vader aan. Het kwam tot aan mijn knieën.

Stom dat hij mocht zoenen en ik niet eens een stom briefje van een agent wat langer mocht bewaren.

Stom dat hij mijn moeders jurk mocht stelen maar dat ik er niet aan mocht trekken.

Ik sliep even, maar niet lang. Ik schrok wakker omdat mijn moeder over me heen gebogen stond. Ze was het niet, natuurlijk, het was de flap van mijn deken.

Ik klom uit bed. Mijn vader was er nog niet.

Even later stond ik op het dek. Het waaide.

Ik klauterde naar beneden en voelde met mijn voeten het natte gras. Ik liep naar de keuken, er brandde licht in de kapsalon. De geur van vocht en vieze koelkast, en toen stemmen.

'... ik zal altijd van haar houden, meer dan van wie ook.'

'Van allebei toch? Dat moet ook. Ze zijn je familie.' Sonja, de stem van Sonja.

Mijn vader haalde luidruchtig zijn neus op. Bizar idee, dat Sonja hem aantrekkelijk vond. Of misschien had ik het mis. Was ze hem echt alleen maar aan het helpen.

'Als het makkelijker is, blijf ik op grotere afstand.' Sonja weer.

Ik had zin om heel hard: 'Goed idee, doemaar!' te roepen.

Geschuif van lichamen, het kraken van een stoel. Zat die Sonja nou op schoot bij mijn vader? Draaiden ze samen rondjes? In míjn tandartsstoel?

'Ik vind het prettig als jij er bent, jij hebt het ook moeilijk gehad.' Mijn vader snifte erbij. Hij wel. Hij wilde altijd maar iedereen bij zich hebben.

Boosheid kolkte uit mijn oren.

'Kom op, John. Olivia heeft het al zwaar genoeg...' Sonja klonk niet alsof ze op zijn schoot zat.

Mijn vader onderbrak haar. 'Soms denk ik... Die scherpe tong van haar...'

Sonja lachte. Lachte ze om mij? 'Ze lijkt me een stoere. Maar misschien is ze niet zo groot als jij denkt. Pas je wel goed op haar?'

Mijn vader snikte. 'Ik probeer het. Soms weet ik niet waar ik moet beginnen.'

'Bij het begin, denk ik.' Ze lachte alweer.

Mijn vader, mijn moeder en ik. Vroeger waren we een blokkentoren. Drie blokjes op elkaar, ik bovenop. De toren was omgevallen – torens vallen nu eenmaal altijd om – en het vallen deed pijn. Maar wat ze ook deed, Sonja kón niet tussen ons komen. Ze was een heel ander soort blokje. Of misschien geeneens een blokje. Een rondje. Of een driehoek.

'Je hebt gelijk,' zei mijn vader, 'ik zal beter op haar passen.'

Ik sloop de donkere tuin weer in.

Terug in de boot ging ik op mijn rug liggen en staarde met wijd open ogen in het donker. Tot ze traanden. Maar ik huilde niet.

Niet lang daarna kwam mijn vader binnen. Hij kleedde zich zo zachtjes mogelijk uit. Het bed kraakte toen hij erin kroop. Ik hoorde hem draaien en zuchten. Het was heel donker. Donker en behoorlijk stil. De wind was gaan liggen; zelfs het plastic dat over de verrassing was gespannen knisperde niet meer.

Ik dacht aan Sonja, die nu in haar appartementje boven de kapsalon in een bed lag, verlaten door haar man. En aan mijn moeder, die in een urn zat. Haar hele lichaam door elkaar gehusseld. Ik dacht aan Sasha, aan Jenny, aan opa en oma. Aan al die mensen die op dit moment op hun rug of hun buik of hun zij lagen te slapen.

Vroeger was ik nu bij mijn vader gekropen. Dan had hij een slaperige warme arm om me heen geslagen.

16

'Olijf!'

De volgende dag direct na school riep mijn vader me bij zich. Er was niemand in de zaak. Hij stond met zijn armen over elkaar op me te wachten.

'Ik zou je straf moeten geven,' zei hij.

Ik zweeg.

'Je kunt toch niet zomaar liegen over je moeder?'

Ik keek naar de gele lucht boven ons.

'Een ruimteschip,' mompelde mijn vader.

'Jamaar weetje,' zei ik. 'Hier was ze nog niet dood. Want hier wist niemand het.' Toen haalde ik mijn schouders op. 'Het was bluf.'

Dat was dus ook gezegd. Van mijn moeder mocht dat, maar alleen als je het zelf wist. Nu wisten mijn vader en Sasha het ook. Ze had niet gezegd wat er gebeurde als iedereen je bluf wist. Dan moest je verder met de waarheid waarschijnlijk, iets waar ik totaal geen zin in had.

In de gang ging de kwartjestelefoon. Ik sprong op en rende voor mijn vader uit.

We waren net in het gangetje toen de telefoon stopte. Ik trok de hoorn van de haak en riep: 'Hallo?' Alleen de kiestoon. Heel even dacht ik: het is mamma, die zegt dat ze terug is uit de ruimte. Ik had niet gebluft. Het was waar. Ik had gewoon de hele tijd al gelijk.

Heel even maar.

We gingen in de kapsalon zitten.

Ik keek naar mijn gympen. Mijn grote teen kwam er aan één kant al bijna doorheen.

'Wil je nog iets aan me uitleggen?'

Ik schudde mijn hoofd. Ik had niks uit te leggen.

'Nou?' Hij klonk niet eens echt boos.

'Sorry.' Ik duwde mijn gymp tegen de rand van de tandartsstoel. 'Sorry dat Sasha dacht dat mamma je verlaten had. Sorry dat je in plaats daarvan een vader bent met een dode vrouw.'

'Dode vrouw' klonk niet echt alsof ik het over mijn moeder had. Ik voegde eraan toe: 'Een dode vrouw uit Friesland.'

Hij lachte zachtjes. 'Het moet ook niet meevallen om dochter van een dode moeder te zijn.'

Ik schudde mijn hoofd. Dat viel inderdaad niet mee.

'Maar als je erover liegt. Als je gaat vertellen dat je moeder niet dood is...' zei mijn vader weer ernstig. 'Dan ga je er een beetje in geloven.'

En dat is nog knap lastig, wilde ik zeggen, maar ik zei niks.

'Je moet eraan wennen dat ze dood is. Het is de enige manier. We zijn aan het veranderen, Olijf. Dat willen we misschien niet, maar het gebeurt toch.'

Hij sloeg nog steeds geen arm om me heen. Hij trok me nog steeds niet tegen zich aan. Hij aaide nog steeds niet over mijn wang.

'Als wennen betekent dat jij vriendjes wordt met Sonja, dan ga je maar in je eentje wennen.' Ik sloeg mijn armen over elkaar.

'We moeten verder, Olijf. Van de politie.'

Ik haalde koppig mijn schouders op.

'We gaan bij Sonja wonen.'

Plop, daar zag ik de glimlach van mijn moeder weer. Hoe kon ze hier nou om glimlachen?

'Die Sonja is zo dik, daar passen wij niet eens bij. Dan zakken we door de vloer met zijn allen.'

'Geen grappen over dikke mensen, Krump.' Maar hij grinnikte toch, en een halve seconde leek hij op mijn oude vader. Op dat reuzekind dat een steen in een potje stopte en juichte dat het een diamant was.

Om hem een plezier te doen lachte ik ook even. Liever mijn oude vader dan die nieuwe serieuze meneer.

Maar het moment was alweer voorbij.

'We moeten samen bedenken hoe we verder moeten, Olijf.'

'Maar als ik geen keus heb, waarom vraag je het dan!' Ik stond op om weg te lopen, maar zijn hand hield me tegen. Ik probeerde me los te rukken. Hij kneep. Best hard.

Hij zuchtte. 'Waarom doe je zo boos?'

Ik probeerde weer mijn arm los te trekken.

'Eigenlijk zou ík boos moeten zijn,' zei hij toen. 'Met je pubergedoe.'

Pubergedoe? Ik was tien. Met dertien was je een puber. Bovendien was het woord 'puber' ouderwets.

Vroeger had ik dit allemaal meteen uitgelegd, besefte ik opeens. Gewoon. Uitleggen wat mijn vader niet begreep. Maatjes.

Nu zei ik: 'Lamelos.'

'Olijf...'

'Lamelos!'

Hij liet me los.

Hij draaide zich om, liep de kapsalon uit.

De voordeur tingelde even na, maar zodra het stil werd, was ik van het ene op het andere moment niet meer boos. Alleen nog maar heel zwaar.

Ik ging in een van de stoelen zitten en liet hem sissend omlaag zakken. Het was een beetje koud.

Ik pompte de stoel op en liet hem weer omlaag zakken. *Sissss.* Ik trapte op het pompje tot de stoel op zijn hoogste punt stond, ging weer zitten en zakte omlaag. *Sissss.*

Dat bleef ik lang doen, maar mijn vader kwam niet terug. Niets klopte. Ik had honger, maar er was geen eten. Ik was moe, maar het was nog niet eens zeven uur.

Ten slotte bracht ik mezelf naar de boot.

Ik deed alle lichten aan. Het waren er maar twee: het peertje aan het plafond en het leeslampje van mijn vader. Toen ik het snoer greep om het leeslampje aan te doen, kreeg ik een elektrische schok. Ik gilde.

En ik weet niet of het door die schok kwam, maar ik bleef gillen.

Steeds harder en hoger, en het ging maar door, alsof ik het niet zelf was, maar iemand met mijn stem die harder gilde dan ik ooit had gegild.

Mijn vader was er zo snel dat de boot heen en weer schudde. Hij was in één sprong naast me, greep me vast en riep: 'Wat is er wat is er? Krump, liefje, zeg dan wat.' Mijn vader, pappa. Van mij.

Met zijn lieve ogen en zijn dikke buik. Alsof ik hem van buiten zag. Mezelf zag ik ook van buiten: Olivia Marenburg, tien jaar oud, nu al borsten, maar nog helemaal niet zo groot.

'Wat is er dan?' Hij inspecteerde de vinger die ik in mijn mond hield, waar de schok door naar binnen was gekomen.

'Ik wil mamma.' Terwijl ik het zei, voelde ik hoe waar het was. Ik wilde mijn moeder. Ze hoefde niks te doen, niks te zeggen. Ze mocht zelfs zo ziek en moe zijn als op het laatst. Als ze er maar was.

Maar dat kon niet.

Ze was er gewoon niet meer.

Dat mocht niet.

Binnen in mij leefde alles nog aan haar. Ik kon het niet aan mijn vader uitleggen. Hij was lief. Maar hij was niet genoeg. En nu had hij ook nog iemand gevonden om hem te troosten.

'Ik wil mamma.'

Hij zei: 'Krumpie, ik wil je moeder ook.' Hij begon te snuffen, maar voordat hij echt kon beginnen met huilen gilde ik, steeds harder: 'Nee! Nu mag ik! Nu mag ik een keer huilen. Nu mag ik! Nu mag ik! Nu mag ik!'

Het leek alsof mijn vader wilde protesteren, maar toen hield hij zijn mond en sloeg hij zijn berenarmen om me heen. Eindelijk.

'Ik hou van je, Krumpie,' zei hij. 'Ik vind je zo lief en zo dapper en zo stoer. En ik ben zo blij dat je er bent.' En hij aaide over mijn wang en zei nog veel meer fluisterzinnen die ik zo heel heel erg had gemist. En ik zag mijn moeder naar me glimlachen en snapte opeens dat die glimlach betekende: huil maar. Alles mag.

Toen kwam de zee. Eerst werden mijn ogen nat maar waren er nog geen snikken, en toen begon mijn hoofd te tintelen. Ik bracht mijn vingertoppen naar mijn slapen, omdat het net leek alsof mijn hoofd was uitgedijd. Mijn vader zei ondertussen steeds: 'Krumpie.' Ik hikte en mijn hele leven ging heen en weer van de bulken verdriet die naar buiten kwamen. De hele zee ineens. Als mijn vader me niet had vastgehouden, was ik verdronken.

Later, toen het al donker was buiten en ik eindelijk was gestopt, vroeg ik hem of hij bij Sonja was, of hij me daar had horen schreeuwen.
Hij knikte en zei dat Sonja hem net een kop thee had gegeven, die hij op de grond had laten vallen. Hij zei ook dat hij vanaf nu beter voor me zou zorgen. Dat het hoog tijd was. Ik vroeg hem of hij niet naar Sonja wilde, maar hij zei: 'Jij bent toch veel belangrijker voor me, Krump. Sonja is een vriendin. Ze steunt me. Verder niks.'
Dat was het mooie van tijdelijkheid, dacht ik, dat sommige dingen verder niks waren.

17

Midden in de week liet Jenny me nablijven. Ze trok haar stoel achter haar bureau vandaan en kwam heel dicht bij me zitten. Ze zuchtte overdreven. 'Volgens mij heb jij al tijden geen huiswerk gemaakt, Olivia.'

Ik schudde mijn hoofd: het had geen zin dat te ontkennen. Sasha had me geholpen met wat sommen, maar dat was het wel.

'Ik snap het wel.' Jenny rook naar boterham met honing. Ze deed heel lief en sponzig, zonder dat leraresachtige wat ze normaal had. Er begon aan de zijkant van mijn hoofd iets te bonken. Ik ging toch niet wéér huilen! Blijkbaar ging huilen, als je er eenmaal mee begonnen was, steeds makkelijker. Ik had een overvol zwembad in mijn hoofd.

'Ik denk dat we het zo langzamerhand aan de klas moeten vertellen. Van je moeder.'

Nu suisden mijn oren ook al. Straks legde ze een hand op mijn been. Ik schoof een stukje naar achteren.

'Dan weten de anderen waarom je soms wat...' ging Jenny door, '... stilletjes bent.'

'Maar ze pesten me toch niet meer.' Het was er al uit voor ik had bedacht dat ik Jenny niet in vertrouwen wilde nemen.

'Milena is ermee gestopt, maar veel contacten met de klas heb je niet.'

Ik keek Jenny niet aan. Die hoefde ik ook niet. Contacten.

Ik had Sasha.

Maar dat ging ik natuurlijk niet aan Jenny's neus hangen.

'Kom, laat me je helpen,' drong ze aan.

Ik zei nog steeds niks.

'Het zal je opluchten, en zo kun je het ook wat beter verwerken.'

Verwerken? Wat was dat nou weer? Natuurlijk kende ik het woord wel, maar wat betekende het nou echt? Hoe moest je een dode moeder 'verwerken'? Wat moest je doen als iemand doodging die niet dood mocht gaan?

Bloemen kon je tot een boeket verwerken, komkommers en fetakaas verwerkte je tot een salade.

Maar een dode moeder? Opeens had ik zin om heel hard tegen Jenny's scheenbeen te schoppen. Maar dan echt heel hard.

'Oké Olivia, wat gaan we eraan doen...?'

'Nee.'

'Wat nee?'

'Nee. Ik wil niks vertellen. Het gaat niemand wat aan.'

Ik stond op en liep naar de deur. En voegde er heel direct nog aan toe: 'Het gaat niemand wat aan... Jenny.'

Tevreden liep ik de school uit.

Mijn vader was al klaar met werken toen ik thuiskwam. 'Ik heb ze zo vroeg mogelijk weggestuurd. Ik wilde meer dochtertijd.'

'Maar het geld dan?'

Hij haalde zijn schouders op. 'Er is tijd voor geld en al-tijd voor Olivia.'

We gingen bij het plastic zeil zitten. Mijn vader had voor ons allebei melk gepakt. Onder het zeil dampte het nog steeds een beetje.

Ik had mijn gympen en mijn sokken uitgetrokken en probeerde mijn teen onder het zeil te wurmen, maar mijn vader greep mijn voet en deed alsof hij hem opat. 'Vroeger gilde je van het lachen als ik dat deed.'

'Toen was ik één of zo.'

'Nou en?' Hij knipoogde. 'Dat is niet zo héél lang geleden.'

Daar was de glimlach van mijn moeder weer.

Ik zei zonder erbij na te denken: 'Weet jij de glimlach van mamma nog?'

Mijn vader keek even verbaasd en begon toen te glimmen.

'Natuurlijk. Ik denk altijd aan die glimlach. En wat goed dat je erover begint, want ik heb iets bijzonders voor jou dat ermee te maken heeft. Maar dat komt later. Dit cadeau eerst.'

Hij knikte naar het zeil. 'Wat heb ik toch een boel leuke verrassingen voor je, Olijf. Wat ben ik toch een leuke, volwassen vader.'

Hij stootte me aan. Blijkbaar moest ik nu knikken dat hij inderdaad een hele leuke vader was met zijn leuke verrassingen. Ik ging iets verzitten en schopte mijn melk om.

Mijn vader zag het niet.

Ik duwde met mijn grote teen op de plek waar de melk in de aarde verdween. Als de melk maar ver genoeg zakte, kwam hij aan de andere kant van de wereld in de oceaan uit. Ooit had ik dat voor me gezien. Zat daar een visser in een bootje, kwam er voor zijn neus een wolkje melk omhoog. Ik geloofde het niet meer.

'Ogen dicht, Olijf. Nu komt het.'

Ik deed braaf mijn ogen dicht. Mijn vader begon met het plastic te ritselen.

Iemand belde aan bij de kapsalon.

Het ritselen van het plastic hield op.

Er werd nog eens gebeld.

Wie zou er aanbellen? Musa niet, die klopte. En verder hing er een bordje 'gesloten' op de deur. De meeste mensen begrepen dat.

Misschien had het wel iets met mijn vaders verrassing te maken! Ik deed mijn ogen open, sprong op en rende op blote voeten naar binnen. Er stond een grote zwarte auto voor de deur van de kapsalon. Het was een begrafenisauto. Naast de auto stond Simon in zijn zwarte pak. Hij keek doodsbenauwd. Toen hij ons zag aankomen liep hij terug naar de auto en haalde iets van de achterbank.

Ik deed de deur open.

'Dank je wel, Simon.' Ik nam de urn van hem aan. De pot voelde warm aan. Maar misschien verzon ik dat.

'Wat ben je gegroeid,' zei Simon. 'Mooi.' Hij liep mee naar binnen en liet mijn vader een papiertje tekenen. Het was vreemd om opeens iemand uit Friesland in de kapsalon te zien.

Simon kon niet stilstaan van de zenuwen. 'Normaal sturen we een koerier,' zei hij, 'maar deze as wilde ik graag zelf bezorgen.' Hij voegde eraan toe: 'Zelfs twee keer.'

Ik zag hoe erg mijn vaders handen trilden toen hij zijn handtekening zette. Hij gaf het papier terug aan Simon, die het tegen zich aan drukte. Ik hield de urn vast, mijn vader stond er een beetje sullig bij, zijn armen bungelden langs zijn li-chaam. Als mijn handen niet vol waren geweest, had ik een schaar voor hem gepakt. Zodat hij ook iets had om zich aan vast te houden.

'Nog een fijne dag,' zei Simon. Zijn stem klonk veel hoger dan normaal. Hij draaide zich om en liep tegen de deurpost op. Hij draaide zich een kwartslag opzij, zei 'Pardon,' schoof de deur door en marcheerde naar zijn auto.

Ik riep: 'Dag!' Mijn vader zei niets.

Pas toen Simon was ingestapt sprong mijn vader op en rende naar buiten. Ik rende op mijn beurt met urn en al ach-ter mijn vader aan. Mijn vader boog zich naar het raampje dat Simon omlaag liet glijden en mompelde: 'Sorry voor de verwarring.'

Simon mompelde terug: 'Geeft niet.'

Toen wilde ik ook wat zeggen. 'Simon?'

'Ja?'

'Boe.'

De urn was niet groen, maar zwart en van plastic. En toch best zwaar.

Ik stond ermee in mijn armen.

'Wacht!' Mijn vader riep het me na, maar ik wachtte niet. Ik moest heel erg de tuin in. Om te voelen dat er lucht was, want in de kapsalon was die op. Mijn vader kwam achter me aan. Het verbaasde me dat ik zo rustig was. Ik had verwacht dat ik zou huilen. Niet met gierende uithalen, maar plechtig huilen. Met een paar tranen die langzaam over mijn wang zouden lopen.

'Ik weet niet of dit het moment ervoor is,' – mijn vader was nu langs me heen naar het plastic gelopen – 'maar we waren al begonnen.'

Hij trok het plastic weg.

Eronder lag een helemaal klaar rond zwembad. Het was zo'n geval van hard blauw plastic dat normaal bij rijke huizen in het terras wordt ingemetseld. Misschien had Sasha er wel een.

Aangezien het gat dat mijn vader had gegraven niet helemaal rond was en iets te groot, zag het bad er nogal klein en wiebelig uit.

'Het water was in de tussentijd koud geworden, dus heb ik er vanmorgen nieuw water bij gedaan. En ik moet nog iets aan de randen doen: daar zit nu alleen landbouwplastic.'

Mijn vader moest verder hebben gegraven toen ik naar school was. Of 's avonds, in het donker. Ik kon zien dat het water warm was, want het dampte een beetje. Niks geen dampende ufo.

'Je was altijd zo dol op ons bad in Friesland,' zei mijn vader. Hij klonk verlegen. Hij deed zijn schoenen uit, rolde zijn broekspijpen op en stak een teen in het water. Toen ging hij zitten, met zijn voeten in het bad. Ik had al blote en ook een beetje koude voeten. Hij wachtte terwijl ik de urn heel voorzichtig naast me op de grond zette, naast hem ging zitten en de urn weer op schoot trok.

'Wat ik ook nog wou zeggen...' – mijn vader keek expres niet naar de urn – 'is dat we het over Sonja moeten hebben. Soms begin je per ongeluk van iemand te houden terwijl dat nog helemaal niet de bedoeling was. Ik wist ook niet dat dat kon.'

De urn was zwaar in mijn armen. Maar als hij de as negeerde, kon ik dat ook.

'Kom Krump, lach eens.'

Ik lachte overdreven en riep: 'Mooi bad! Je hebt het zeker gevuld met water uit de keuken. Met een emmertje heen en weer en heen en weer en–'

'Echt, Krump, dat met Sonja was eerst niet meer dan–'

'Of met een tuinslang.' Ik deed het geluid van een tuinslang na: 'Ssss, ssss.' Overdreven. 'En dan nog wel twéé keer, want het was afgekoeld in de tussentijd.'

'En het is nog steeds niet... Ik hou nog steeds van jou. Altijd. En van mamma natuurlijk.'

'Of toch heel veel emmertjes heet water.' Ik maakte mijn tong een klakgeluid, wat nergens op sloeg, maar nu ik toch een hoorspel opvoerde kon dat er ook nog wel bij.

'Krump...'

'Anders zou het niet zo stomen.' Ik klikte nog een keer met mijn tong.

Ik kon niet meer ophouden met raar doen, maar stiekem was ik best blij met het bad. Misschien kon ik straks wel even onder water. Mijn haren los. Eindelijk van die kriebel af. Of nee. Wie moest mamma dan vasthouden?

Ik keek naar mijn vader, die naar het zwembad keek.

Ik kneep zo hard in de urn dat het pijn deed. Ik wilde het alleen maar over het zwembad hebben, hij had het over zijn nieuwe vriendinnetje.

'Krump... Je moet het accepteren.'

'Waarom dan?'

Ik zag dat hij een arm om me heen wilde slaan, maar hij deed het niet. Net zoals ik tegen hem aan wilde leunen maar het niet deed.

'Waarom dan?' zei ik nog eens.

'Omdat… omdat we verder moeten.'

'Verder?! Waar naartoe dan?!' Ik wist het echt niet meer.

'Waar naartoe dan?!'

'Niet zo gillen Krump.'

'Weg van hier? En dan laten we alles achter, toch?'

Nu sloeg hij toch zijn armen om mij en de urn heen.

'Groepsomarming met de hele familie,' piepte ik, gesmoord door zijn berenarmen.

We zaten heel lang zo. Ik zag onder zijn armen door dat er een vliegje in het water was verdronken. Mijn armen deden pijn van het vasthouden. Ik bewoog me niet.

'Nu zijn we weer alle drie samen,' fluisterde mijn vader.

Zo voelde het helemaal niet. De wereld had stil moeten blijven staan toen mijn moeder doodging. Bevroren auto's, bevroren mensen en alleen mijn vader en ik die op reis gingen. Met de boot naar de stad, cake bakken, tijdelijkheid.

Net zo lang tijdelijkheid tot alles weer goed was. Wat 'goed' precies was wist ik ook niet. Niet dit, in ieder geval.

Een ander vliegje vloog bijna mijn oog in. Ik bewoog mijn hoofd om het te ontwijken en mijn vader liet los. Hij ging in de keuken een biertje pakken.

Het was nog helemaal niet zo laat, zag ik: etenstijd.

'Gaan we patat eten?'

Mijn vader zei niks.

'Of pizza?'

Eigenlijk had ik geen honger. Maar ik kon niets anders verzinnen om te doen.

'Sonja zou lasagne maken,' mompelde hij ten slotte. Ik draaide met mijn ogen. Alsof ik ooit een hap van die lasagne zou nemen! Misschien vergiftigde ze mijn stukje wel. Had ze mijn vader voor zich alleen.

We namen de urn mee de boot in en ik zette hem op de grond tussen onze bedden in. 'Voor nu even.' Zodra ik de urn had losgelaten, was ik doodmoe. Ik ging op mijn bed liggen.

'Ga je zo mee eten, Krump?'

Met mijn ogen dicht schudde ik mijn hoofd.

'Kan ik nog iets anders voor je doen?'

Ik schudde alweer mijn hoofd.

'Dan ga ik nog even wat... doen,' zei mijn vader terwijl hij me instopte. Ik keek hem niet aan en draaide mijn gezicht naar de muur toen hij me een zoen wilde geven. Zodra hij zich oprichtte had ik er spijt van. Ik had best een zoen gewild.

Ik vroeg me af of ik het eng vond, alleen met die urn. Maar het was mijn moeder. Wat kon er eng aan zijn?

Ik luisterde naar het klapperen van het plastic van het zwembad. Het rammelen van de touwen van de boot. Ik rook de muffe geur van sok en een vleugje vuur, van de urn misschien. Ik hoorde mijn ademhaling. In, uit. In, uit.

18

Mijn vader stond te trappelen in de tuin toen ik de volgende dag uit school kwam. De urn had hem blijkbaar nerveus gemaakt.

'Kom, we gaan zwemmen.'

Ik keek met een frons naar het bad. Er lagen wat bladeren in en op de bodem zag ik zand.

'Daar kan je erg ziek van worden, van blaadjes en zand. Wist je dat?'

'De ergste viezigheid schep ik eruit. Bovendien, dit is maar een dag oud vies. Vers vies. Ik weet nog wel viezer.' Mijn vader keek heel even naar mijn knotje en trok toen zijn broek uit. Eronder had hij zijn zwembroek al aan.

Wantrouwig bleef ik aan de rand staan.

'Kom, Olijf. Erin.'

Mijn vader sprong in het water en liet zich op zijn rug vallen. Water golfde over de rand.

'Mijn badpak past niet meer.'

'Wat ben je toch een zorgelijk meisje geworden.'

Ik wilde een stapje naar achteren doen, maar een sterke harige hand greep mijn been. Ik gilde.

Nog een klauw, een zwaai, even niks en toen een heleboel water.

'Hee!' Zodra ik weer adem had, schepte ik zo veel mogelijk water in zijn gezicht.

'Lekker warm hè?' Ik kreeg een plens terug. Al mijn kleren plakten.

'Misschien ga je het waarderen als je er nog wat meer' – *plets* – 'van over je hoofd' – *spetter* – 'krijgt.'

We hijgden even uit.

'Laten we fikkie stoken vanavond.'

'Jaaa,' riep ik.

'Misschien kan ik Sonja ook uitnodigen?'

'Nee!' riep ik.

Mijn vader zuchtte, maar drong niet aan.

Hoewel we allebei nat waren, liepen we zonder ons af te drogen op slippers naar de buurtsupermarkt. Mijn vader had een T-shirt aangetrokken en zijn broek plakte aan zijn benen.

'We drogen onderweg wel op, samen met onze kleren,' zei hij. Toen ik omkeek zag ik een spoor van water. Een groot spoor en een kleiner spoor.

We kochten twee pakken marshmallows, komkommers en fetakaas, melk en zes biertjes. Mijn vader maakte onderweg al een biertje open. 'Anders verdroog ik.'

Toen we terugkwamen bij de tuin stond Sasha bij het zwembad te wachten: we hadden het tuinhek opengelaten. Ik rende op hem af om hem welkom te heten en sprong zo hard tegen hem aan dat hij achterwaarts in het zwembad viel, met mij erbovenop.

Toen we proestend bovenkwamen hoorde ik een vrouwenstem 'Nee!' gillen, en toen een enorme plons en toen lagen Sonja en mijn vader ook in het water. Meteen was het bad vol.

Er was zelfs nauwelijks meer water voor een watergevecht.
Sasha en Sonja bleven allebei eten. We zochten alle vier een stokje om de marshmallows aan te roosteren en mijn vader maakte brood met fetakaas, dat hij in aluminiumfolie wikkelde en in de buurt van het vuur legde. Ik knabbelde aan de komkommer.

'Een zwembad, chic.' Sasha staarde in de vlammen.

'Moet jij zeggen, met je supergrote huis en je honden.' Ik gaf hem een zet.

'Jamaar wij zouden nooit zo'n soort zwembad hebben.'

'Wat voor een?'

'Eentje waar je met je kleren in mag.'

We grinnikten allemaal.

'Goh, wat rot voor je.' Ik gaf hem nog een duw.

'Rot voor mij?' Ik kreeg een duw terug.

We rolden over de grond en worstelden, terwijl mijn vader riep: 'Kinders gedraag je!'

Sonja had reuzehanddoeken meegenomen. We trokken alle natte kleren uit en sloegen de handdoeken om ons heen. Mijn onderbroek en hemd trok ik onder de handdoek uit. Mijn blootje ging Sasha niks aan.

Toen we weer zaten, was het fetabrood klaar. Ik was moe en had zin om tegen mijn vader aan te zitten, maar daar zat Sonja al.

'Misschien kun je beter ergens anders gaan zitten,' zei ik tegen haar.

Sonja nam een trekje van haar sigaret, blies de rook uit en draaide zich naar me toe. 'Ik heb een rotdag gehad en nu wil ik hier even zitten.'

'Zal ik anders de urn gaan halen en daar tegenaan gaan zitten? Voor het groepsgevoel.'

'Je gaat te ver,' zei mijn vader dreigend.

Ik keek hem koppig aan. 'Jij bent van mij. Meer van mij dan van haar.'

Sonja keek naar het water. Op de randen van haar lippen zat een restje donkerrode lippenstift, de rest zat op haar sigarettenfilter.

Ik schrok toen die lippen opeens begonnen te trillen.

Sonja huilde!

Niemand wist meer wat er gezegd moest worden. Aan de andere kant van het hek reed een auto voorbij. Snif, deed Sonja.

Mijn vader keek niet naar mij maar naar het vuur. Sasha prikte in de grond met een stokje.

Uiteindelijk haalde ik heel diep adem en stond op. Ik ging voor Sonja staan. 'Laat maar zien dan.'

'Wat?' Haar mascara was uitgelopen.

'Je huis.'

Ze stond zwijgend op en ging me voor. Zij in haar handdoek, ik in mijn handdoek.

Op de dag dat we weggingen uit Friesland was oma naar me toe gekomen. Ze was niet zo'n knuffelig type, maar haar stem was zacht als dons. 'Gaat het, Olijf?'

Ik zat in de tuin op de bank te wachten op mijn vader. Ik had mijn geluksjas met slierten aan.

Mijn vader was binnen ruzie aan het maken met opa. Dat hadden ze gedaan vanaf het moment dat mijn moeder dood was.

Ik keek naar oma en vroeg: 'Waarom maken ze ruzie?'

'Opa wil niet dat jullie weggaan.'

'Waarom niet?'

'Omdat hij jou dan zo zal missen.'

Ik knikte. 'Ik zal jullie ook missen.'

De tuin van oma lag er kaal bij. 's Zomers had ik er wel eens konijntjes gezien. 'Oma?'

'Olijf?'

'Denk je dat ik hierna ooit nog van iemand ga houden?'

Mijn niet-knuffelige oma legde haar oude hand op mijn hand. Op de hare zaten hele grote aderen en ze had twee grote ringen aan haar vingers. De ene had een rode door-zichtige steen, zo groot dat hij tot aan haar vingerkootje kwam. De andere was van goud en glad. Haar huid was ont-zettend zacht, hoewel ik haar bijna nooit durfde te aaien.

'Natuurlijk, Olijf. Dat hoort bij het leven. We gaan van men-sen houden en dan vertrekken ze weer. We komen nieuwe mensen tegen. En we gaan van ze houden.'

'Waarom gaan mensen dan weg?'

Ze haalde haar schouders op.

'En waarheen?'

We waren stil.

Wij gingen ook weg. Dus dat klopte wel.

'Maar waarom?' vroeg ik nog eens.

'Er is geen waarom, Olivia. Er is alleen maar tijd.'

Dat klonk zo droevig dat ik niks meer vroeg. Het was koud op de bank in de tuin. Binnen hoorde ik mijn vader 'Nou dan geloof je het niet!' roepen. Wat mijn opa terugriep verstond ik niet.

Heel wit en heel leeg was Sonja's huis. Het rook er lekker. Ik bleef staan om die geur te plaatsen. Het rook niet alleen schoon, maar ook een beetje naar kruiden. Speculaas, en kaneel, en een beetje citroen. 'Het ruikt hier naar cake.' Ik draaide me om naar Sonja, die nog steeds in de deuropening stond.

Ze glimlachte.

De vloer was van brede houten planken en er stond een enorme tafel in haar woonkamer. In een hoek lagen allemaal kranten en papieren. In de andere hoek, bij het raam, stond een asbak op een pootje. Het raam stond open. Er was een boekenkast, maar veel boeken stonden er niet in.

Sonja had een open keuken met een kookeiland, zodat je tijdens het koken naar de grote tafel kon kijken.

'En daarachter heb ik nog twee kamers. Een van mij en een reservekamer.'

Ik kon horen wat ze bedoelde. Dat ik daar zou mogen slapen. Een eigen kamer. Geen vieze sokken van mijn vader meer. Maar ook dat mijn vader dan bij haar–

'Ben je zo eenzaam dan?'

Sonja keek vragend.

'Dat je wilt dat wij bij je komen wonen.'

Ze lachte, wat me een beetje boos maakte, want het was een serieuze vraag.

'Jij denkt dat jullie mij gezelschap moeten komen houden?'

Ik knikte nors.

Ze liep naar het einde van de tafel en stak een sigaret op. Toen ze daarmee klaar was, keek ze weer naar mij. 'Ik woon hier prima. Als jullie erbij komen wordt het nóg leuker.

Hoop ik. Maar het moet niet. Niets moet.'
'Echt niet?'
Ze blies wat rook uit. 'Ik heb het ook best naar mijn zin in mijn eentje.'
Ze had misschien niet zo veel boeken, maar wel een mooie muziekinstallatie. Wat me opviel was dat er nergens foto's hingen.
'Heb je geen familie?'
'Wil je de reservekamer zien?'
Mijn kamer.
Ik keek naar Sonja en schudde mijn hoofd. Mijn hoofd kriebelde weer. 'Volgende keer.'

19

We hadden gym op het veld achter de school. We hadden een invalgymleraar en moesten teams kiezen.

Een jongen moest het ene team vormen, Milena het andere team.

Eindeloos bleef ik wachten, tot iedereen was gekozen.

'Olivia.' Milena moest als laatste kiezen en haar stem klonk vol weerzin.

Ik was rood van schaamte en kwaad tegelijk.

Toevallig kon ik behoorlijk goed voetballen, namelijk.

Ik werd in de voorhoede gezet en zette me in alsof ik in mijn eentje de wedstrijd moest winnen. En dat deed ik ook, min of meer. Ik stopte ballen, schopte ze bijna in het doel van de tegenstanders. Dat ik geen goal maakte was domme pech.

En toch moest iemand gillen: 'Kan dat kind daar weg?'

Hoewel ik druk achter de bal aan rende toen ze het riepen, werd mijn hoofd heel zwaar. En toen wilden mijn benen opeens niet meer.

Ik viel, best hard, op mijn knie.

'Ook dat nog.' Andere stemmen, de grond draaide, onderwatergeluiden.

De hand van de invalgymleraar op mijn schouder. 'Gaat het?'

Nee! wilde ik roepen. Het gaat helemaal niet. Normaal hoeven we nooit in groepen. En weet je waarom niet? Hierom niet!

'Staat ze nog op of hoe zit dat?'
De stemmen deden pijn aan mijn oren. Ik wilde wel opstaan, maar ik zwom onder water en wist niet meer hoe ik boven moest komen.

En toen sneed daar de stem van Sasha doorheen, hoog en schel, als een angstig meisje. 'Kappen nou! Haar moeder is dood! Gewoon effe normaal doen nu. Dus!'

Stilte.

Ik probeerde door de aarde heen naar de andere kant van de wereld te zakken. Wat natuurlijk niet lukte.

De hand van de invalgymleraar liet me los. Van schrik, waarschijnlijk.

Vreemd genoeg voelde ik me daarna lichter. Ik krabbelde overeind. Zette mijn handen in mijn zij. Zei tegen de leraar: 'Gaan we nou nog voetballen of hoe zit dat.'

'Weet je het zeker?'

Mijn vader wees op de zwarte stoel voor de spoelbak.

We hadden gewonnen met voetballen. Ik was nog steeds opgetogen.

Er waren na afloop een paar kinderen om me heen komen staan. 'Sorry,' zeiden ze.

'Ach,' zei ik, 'jullie kunnen er niks aan doen dat ze dood is.'

Ik stond naast Sasha en keek ze recht aan, waardoor ze verlegen wegkeken.

Ik zei nog een keer: 'Het geeft niet.'

Ik had zin om heel hard te lachen. Om te springen. Te huppelen.

Waarom wist ik niet precies, maar ik weet wel dat ik Sasha

steeds speelse stootjes in zijn zij gaf tot hij riep dat hij er blauw van werd.

Mijn vader keek naar me via de spiegel. 'Weet je het zeker?'

'Kort. Niet superkort. Maar kort.'

Mijn vader knikte en legde zijn schaar klaar.

Zelfs de invalleraar had sorry gezegd. De enigen die niet naar me toe kwamen waren Milena en haar vriendinnen. Die waren druk bezig met hun overdreven danspasjes. Eigenlijk was alles een beetje overdreven aan haar. Dat zag ik nu pas.

'Olijf,' zei mijn vader, 'ik ben er klaar voor.'

Ik knikte naar hem in de spiegel. 'Weg met dat knotje.'

'Hoera!'

Mijn vader knipte met een schaartje heel voorzichtig het elastiekje uit mijn haar. Het duurde lang, ik had mijn ogen dicht.

Ik hoorde dat Sonja binnenkwam en weer vertrok.

Sasha had na het voetballen nog aangeboden met me mee te fietsen.

Ik had mijn hoofd geschud.

'Maar het gaat wel?' Hij keek alsof hij daar niet helemaal van overtuigd was.

Ik knikte en bracht toen mijn mond naar zijn oor. Heel zachtjes zei ik: 'Dank je wel.'

Hij werd rood.

Daar moest ik om giechelen.

Ze wisten het. De hele klas wist het. Geen bluf meer, niets meer dat niet gezegd werd. Het kon niet nóg erger worden. En: ze hadden me niet uitgelachen.

Ik ademde uit. Ik was gewoon een meisje van tien met een

dode moeder. Een meisje van tien met een dode moeder en met al bijna geen vies knotje meer.

'Het is eruit.' Mijn vader hield een kapot elastiekje omhoog.

Mijn haar zat nog steeds op dezelfde plek: dat was helemaal aan die plek op mijn hoofd gewend geraakt.

'Een meisje van tien met een knotje, de dochter van de barbier nog wel.' Mijn vader schudde zijn hoofd.

Zo was het gegaan: het was de dag dat mijn moeder naar het hospice ging.

Het was mijn verjaardag.

We waren met de taxi naar het hospice gegaan. Mijn vader en moeder hadden even wat gesmoesd terwijl ik op de gang wachtte. Toen mocht ik weer naar binnen en praatte mijn moeder over verjaardagen bij andere volkeren, en toen ging mijn vader koffie halen. Zodra mijn vader weg was zei ze: 'Krump, help me eens even.' Traag liep ze met mij naar de badkamer. Ze was naakt onder de rode jurk: ondergoed was te vermoeiend zei ze.

Ze was heel dun geworden. Haar vel hing los op haar buik, alsof iemand aan haar getrokken had. Ik hing heel voorzichtig de jurk voor haar aan een haakje.

'Kom, Krump,' zei ze, 'kleed je uit.'

Er stond een stoel onder de douche, waar mijn moeder op ging zitten. Ik had zin om bij haar op schoot te kruipen.

Ik vroeg me af wat mijn vader zou denken als hij terugkwam en een lege kamer vond. Hij wilde vast ook onder de douche. Een blote moeder vond ik niet zo erg, maar een blote vader was weer een ander verhaal. Ik bedoel, ik was net tien geworden.

'Doe de deur maar op slot.' Mijn moeder was goed in gedachten lezen.

'Kom.' Ze schoof iets naar achteren op haar stoel, zodat ik met mijn rug tegen haar aan kon zitten.

Nu viel het water op ons allebei en ik luisterde naar het lawaai dat het water op het plastic van de stoel maakte. Het maakte ook lawaai in mijn hoofd. Alsof er een trechter op mijn kop zat en het water direct naar binnen liep.

Mijn moeder had haar armen om me heen geslagen en ik leunde een heel klein beetje naar achteren, niet te veel, ik wilde haar niet moe maken.

'Ogen dicht.'

Ze reikte naar iets, klikte iets open en toen rook ik haar shampoo. Hele dure was het, speciaal voor mijn moeders dunne haar. Ze kneedde de shampoo in mijn haar. Ze had de bewegingen van mijn vader geleerd, die zich altijd door haar liet wassen en knippen.

Al die tijd had ik mijn ogen dicht en denderde het water mijn hoofd binnen. Het licht was geel achter mijn ogen.

Haar handen op mijn hoofd, het water, haar lichaam zo dicht bij mijn lichaam.

Ze spoelde de shampoo uit.

Meteen daarna wilde ik opspringen om haar haren ook te wassen. Ze kneep even in mijn schouders en ik keek naar haar op. Ze glimlachte.

'Krump. Ik ben moe. Wil je me terug naar bed brengen?'

Uiteindelijk moest ik een verpleegster roepen, omdat het mijn moeder niet meer lukte om op te staan. De jurk lieten we aan de deur hangen. Een lang hemd was makkelijker.

Mijn vader kwam pas terug toen mijn moeder weer in bed lag. Het enige wat hij zei was: 'Wat ruiken jullie lekker.'
'Nu gaat ze even rusten,' zei de verpleegster.
Mijn moeder, de vrouw van de barbier, was met ongewassen haren gestorven.

Een hand op mijn hoofd: mijn vader was heel voorzichtig mijn haar aan het controleren.
'Poe hee, je was al aan het schimmelen.'
Ik probeerde via de spiegel naar hem te glimlachen.
'Gelukkig heb ik daar precies het goede middel voor,' voegde hij eraan toe.
Ik hoorde het klikken van de shampoo en zat meteen overeind. 'Dat is de shampoo van mamma!'
Mijn vader grijnsde. 'Van wie dacht je dat je moeder die shampoo had?'
Ik deed mijn ogen dicht en zuchtte diep op het moment dat mijn vader de shampoo inmasseerde.

20

We gaan van mensen houden en dan vertrekken ze weer.

De zin van oma zat nog steeds in mijn hoofd. We zaten op een groot geblokt kleed dat Sonja had meegebracht.

Mijn vader had me gevraagd of ik op zijn minst mijn best wilde doen om aardig te zijn.

Dus ik zei: 'Mijn vader en ik zullen mengen en bakken, maar jij mag straks best een stukje cake hoor.'

Ik keek even naar haar dikke buik.

Sasha was er ook, die speelde met een kevertje. Hij had met zand en stukjes steen een gevangenis gebouwd.

'Iedereen doet mee,' zei mijn vader, met een dreigende blik op mij.

Ik wreef in mijn ogen en keek naar het kleed. Het was bijna over, de tijdelijkheid.

Ik wilde dat iemand kon zeggen wat erna zou komen.

'Laat het bakken beginnen!' Mijn vader sprong op en zette zijn koksmuts op en duwde meteen de mijne op mijn hoofd. Sonja en Sasha moesten het met een handdoek om hun hoofd doen. Daar maakte mijn vader een hele show van. Hij was immers barbier, hij had verstand van hoofden. Vooral het hoofd van Sasha beviel hem, zei hij. 'Lekker rond.' Sasha grijnsde even en ging daarna weer snel aan de rand van het kleed zitten bij zijn kevertje.

De kom stond midden op het kleed, met de ingrediënten

eromheen. Sonja en ik grepen tegelijkertijd een ei, dat
knapte en met schaal en al in de kom terechtkwam. De spatel
viel op de kevergevangenis, waardoor het muurtje dat Sasha
had gebouwd inzakte. Het kevertje ontsnapte en rende op
Sonja af, die 'Huu' riep en opsprong, waarbij ze bijna de kom
met beslag omstootte. Het beslag dat sowieso nogal klonte-
rig was en waar ik niet alle stukjes eierschaal uit had kunnen
vissen.

'Goh, echt leuk dit. Moeten we vaker doen,' zei ik.

Het bier dat de finishing touch had moeten zijn, was al door
mijn vader opgedronken en al die tijd had ik het gevoel dat
er iets niet klopte. Pas toen het deeg in de cakevorm zat wist
ik het: ons oventje in de boot zat ingebouwd achter een stapel dozen.

'Ik heb ook een oven.' Sonja had alweer een nieuwe sigaret
opgestoken.

'Ik hoef al niet meer. Kom je?' Ik wenkte Sasha, die gehoorzaam overeind krabbelde.

'Blijf nou, Krump.'

Ik aarzelde.

Mijn vader zat op zijn knieën naast de bakvorm, zijn muts
was een beetje scheef gezakt. Mijn muts had ik allang afge-
zet. Sonja blies net wat rook uit en keek achterdochtig naar
het kevertje, dat het pak suiker probeerde te beklimmen.

'Het is de laatste vrijdag. Sonja bakt de cake, wij eten hem
met zijn allen op. Daarna zetten we de dozen in de kapsalon
en morgen laten we de mast zakken en rijden naar de haven.'
Alsof het hielp om dingen op een rijtje te zetten.

'Blijf nou.'

Ik bleef.

Sasha had zijn kevertje teruggevonden en begon de omheiningen te verstevigen. Sonja nam nog een stevige trek van haar sigaret en zei: 'Goed.' Ze kwam overeind, greep de cakevorm en verdween door het tuinhek. Ik zette de wekker en ging tegen de dikke buik van mijn vader aan liggen.

'Mooi weertje hè?'

Hij grinnikte, ik hoorde het in zijn buik. Zijn hand aaide over mijn vers geknipte haar.

'Dat hadden we niet gedacht hè, toen we hier kwamen?'

Sasha was een tweede gevangenis aan het bouwen, met ertussenin een gang om de kever van de ene naar de andere kant te laten lopen.

We hebben veertig minuten, dacht ik. Veertig laatste minuten van liggen en wachten en dan is er warme, dampende cake.

'John?'

'Krump?'

'Als mensen toch weer weggaan, waarom zou je dan van ze houden?'

Mijn vader zei niet 'huh?' of 'grapjas' of 'wat heb je nou weer verzonnen'.

Hij zei: 'Omdat het leven anders niet leuk is. Zonder liefde.'

Ik legde mijn hoofd nog eens goed op mijn vaders buik.

'Vind je het koud?'

'Nee hoor.'

'Wil je een jas?'

'Nee hoor.'

'O.'

'Mag ik?' Het was Sasha, en hij vroeg het niet aan mij maar aan mijn vader. Hij vroeg het heel zachtjes.

'Kom maar.' Sasha's hoofd raakte het mijne, zijn gelhaar tegen mijn korte plukken. Het kriebelde, maar lekker. Ik deed mijn ogen dicht en we lagen tegen elkaar aan totdat Sonja met de cake in de tuin stond.

We proefden allemaal een stukje.

'Die is nog best goed gelukt,' zeiden we tegen elkaar.

We hielden twee plakjes over.

Het vertrek naar de haven kostte meer tijd dan we hadden verwacht. Het laten zakken van de mast ging snel, maar de trailer kwam niet van zijn plek. We hadden de stenen voor de wielen weggehaald, maar de banden waren zacht geworden en wilden niet bewegen. Mijn vader moest eerst een speciale pomp lenen en de banden oppompen.

'Zo snel wortel je dus,' mompelde hij terwijl hij een rondje om de boot liep om te zien of alle banden nu goed waren.

Ik stond op de plek waar vroeger onze trap had gestaan en aaide de bootbuik. 'Vooruit,' fluisterde ik, 'ga er maar uit. Aan de andere kant van de wereld is toch alleen maar water.' Sasha stond op een afstandje toe te kijken.

Mijn vader ging in de jeep zitten en gaf extra hard gas. Met een schok schoot de boot naar voren. 'We zijn weg.'

De jeep had een voorbank waar je met zijn drieën op kon. Het was nog steeds een rommelige jeep, en het zeilbootje hing nog steeds aan de spiegel. Er lagen kartonnen bekers op de grond waar koffie in had gezeten. De asbak zat vol sigaretten. De versnelling was een dunne pook die maar met heel veel moeite naar een volgende versnelling ging. Op de pook had iemand een sticker van een jeep geplakt; het plaatje was bijna niet meer te zien omdat al die plakkerige handen met de pook hadden geschakeld. Ik kon me de sticker niet herinneren van de vorige keer. Maar de vorige keer leek ook bijna op een vorig leven. Ik had zin om de sticker eraf te pulken, maar mijn vaders hand lag op de pook. Dus krabde ik in plaats daarvan aan een wondje op mijn enkel.

De urn met de as van mijn moeder stond in de kapsalon op de kwartjestelefoon. Ik had hem al meteen mee willen nemen, zodat de as in de buurt van de boot bleef. Het voelde gek om mijn moeder op de telefoon achter te laten. Maar dit was beter. Stel je voor dat de urn op het dashboard zou staan, steeds eraf glijdend. Dat Sasha en ik om en om naar voren doken om hem te redden. En dan, natuurlijk, bij de laatste bocht... Hele jeep vol as.

Leg dat maar uit aan de havenmeester.

Sasha en ik giechelden om het idee.

'Gewoon zeggen dat je vader nogal veel rookt,' zei Sasha. Ik moest keihard lachen en mijn vader zei dat het 'ongepast' was om zoiets te zeggen. Ook daar moest ik om lachen. Kriebellach.

De kraan stond al klaar toen we aankwamen. De havenmeester ook. Hij nam mijn vader eerst mee naar zijn kantoortje om af te rekenen. Sasha en ik hingen wat rond bij de kraan, ik keek of ik de oude mannetjes zag.

'Ik wil later ook een boot om op te wonen,' zei Sasha.

'Waarom?'

'Lijkt me fijn, een levend huis.'

Ik knikte. Zelfs al stond de boot op een trailer, je kon het voelen als er iets gebeurde, alsof de boot meeleefde. Klom mijn vader naar binnen, dan schommelde het. Landde er een vogel op het dek, dan hoorde je het *tiktiktik* van de poten.

We keken naar alle heen en weer deinende masten van al die andere zeilboten en naar het Moederschip op de trailer. De jeep van de havenmeester was losgekoppeld en stond voor het houten kantoor.

Ik schopte tegen een steentje, Sasha ook.

'Trouwens...' Sasha keek naar de lucht vlak achter me. 'Ik vind je haar heel mooi zo.'

'Wat?' Natuurlijk had ik hem wel gehoord.

Voelde ik nou dat hij mijn nieuwe haar even aaide? Ik durfde hem niet aan te kijken.

Mijn vader en de havenmeester kwamen uit het kantoor en de havenmeester riep een paar 'handjes', die brede banden om de buik van de boot legden en de mast weer omhoog zetten. Toen ze bezig waren kwamen ook de oude mannetjes tevoorschijn. Het waren er drie dit keer, en één ervan was Schele Nelie.

Het was maar goed dat we onze spullen eruit hadden gehaald, want de boot schommelde behoorlijk toen ze werd opgetild.

'Ze wil niet,' zei ik tegen Sasha.

Hij knikte. 'Ze is gehecht geraakt aan het land.'

We keken hoe het Moederschip door de lucht zweefde en toen traag te water werd gelaten. Ze dreef vanzelf uit de banden. Zoveel kleiner. Haar buik onder water.

'Ze ziet er goed uit.' Schele Nelie was naast mijn vader gaan staan. Mijn vader knikte, zonder zijn ogen van de boot af te halen.

Nelie stootte hem aan. 'Niet de boot, je dochter! Ghe ghe ghe.'

Het duurde even voordat we de motor hadden gestart, daarna voeren we naar een steiger aan het einde van de haven. Een gastensteiger, waar we maximaal een paar dagen mochten liggen.

'Daarna verzinnen we wel iets,' zei mijn vader.

Nelie was ons achterna gelopen en keek hoe we de boot vastlegden. 'Gaat lekker maatjes! Ghe ghe ghe.' Ik legde een Schele Nelie. Hij knikte goedkeurend.

'Waarom staat haar naam nergens op? Mamma heette ze toch? Ghe ghe ghe.'

'Moederschip,' zei ik. 'Ze heet Moederschip. We hebben haar naam erop geschreven. Alleen staat dat deel toevallig onder water.'

'Typisch een landrot: wel een naam, maar onder water. Ghe ghe ghe.'

'Nou en?' Ik hoorde hoe schel mijn stem klonk. 'Wíj weten toch hoe ze heet? Verder gaat dat niemand iets aan.'

Ik had zin om Nelie aan zijn laatste tandjes het water in te trekken en hem stevig onder te houden.

Maar dat zou wel niet mogen van mijn vader.

'Kom.' Mijn vader kwam net als de vorige keer met een rugzak uit het vooronder. Alleen was de rugzak nu kleiner. Bijna al onze spullen stonden in de keuken van de kapsalon.

De boot lag vast en we hadden in de haven niets meer te zoeken. We trokken Sasha mee, die op zijn buik op de steiger naar het water lag te kijken. 'Visjes.'

Weer maakten we de tocht terug met de tram. Dit keer had ik geen verhalen over de stad waar we doorheen reden. Ik herkende plekken, de stad zat al een beetje in mij.

Terug in de tuin viel me op hoe groot die was en hoe klein het zwembadje was dat mijn vader had gebouwd. Je kon in de schemering nog net de lichte plek in het gras zien waar de trailer had gestaan.

Sasha zei dat hij allang thuis had moeten zijn. Zijn vader en de moeder van Milena wilden met hem samen eten. Ik kon zien hoe erg hij daar geen zin in had. 'Ze gebruikt te veel lippenstift,' zei Sasha, 'en die zit nu overal op. Op kopjes, op glazen, op mijn vader.'

Ik liep met hem mee tot het hek en zei, zonder hem aan te kijken: 'Ze schijnen mee te vallen, stiefmoeders.'

'Dat zeggen ze inderdaad,' zei Sasha. We klonken allebei niet erg overtuigd.

'Dag,' zei hij toen, en ik denk dat hij heel even mijn hand aanraakte, maar het ging zo snel dat ik het niet zeker wist.

Hij sprong op zijn mountainbike en reed weg.

Ik liep terug naar mijn vader midden in de tuin. Hij sloeg een arm om me heen. Stil stonden we te luisteren naar de geluiden van de stad aan de andere kant van het hek. Ze klonken anders zonder Moederschip. Ik miste het dek en onze bedden.

'Kan ik nu nooit meer met mijn voeten over je hoofd aaien?'

Hij kneep in mijn arm. Ik kon voelen dat hij huilde.

'Huilebalk.'

'En ik had nog wel beloofd dat ik daarmee op zou houden. Met dat gehuil.'

'Hoeft niet hoor, we zijn een heel tolerante familie.'

Ik greep zijn hand en liep voor hem uit naar het keukentje. Dat hadden we voor we weggingen eindelijk schoongemaakt. Daarna hadden we met de smalle matrassen uit de boot twee bedjes naast elkaar opgemaakt. Mijn vader deed het licht aan. Er lag iets op ieder bed: een plastic bordje met een stukje cake. Van Sonja.

21

Ik werd wakker doordat er iemand op het raam van de kapsalon tikte. Ik tastte naast me, mijn vader was er niet.
Even paniek.
Vanaf de grond kon ik de onderkant van de keukenkastjes zien. Nog heel erg vies.
'Olijf!' Mijn vader zat op de wc.
Ik rende in mijn slaaphemd de kapsalon in.
Het waren opa en oma. Ik deed de deur open en sprong tegen opa op. Daarna drukte ik me tegen oma aan. Ik snoof. Misschien had ik hun geur nog het meest gemist. Ze roken naar zoete oude mensen. Ze roken zacht. Ze roken naar familie.
'Wat fijn dat jullie er zijn!'
'Ik ga me even scheren!' riep mijn vader vanuit de keuken. Ik had hem speciaal gevraagd of hij zich wou scheren. Ik vond het fijn als zijn kin zacht was. Grappig dat hij dat nu in de keuken deed: normaal ging hij op een tandartsstoel voor de grote spiegel zitten en nam hij er ruim de tijd voor. Ik zette koffie.
Opa inspecteerde de kapsalon. Oma zat op de houten bank en vroeg of ik bij haar kwam zitten. Ze voelde aan mijn korte haren. 'Net geknipt,' zei ik. Ik maakte me zorgen. Misschien vonden opa en oma het wel ongepast dat de urn op de kwartjestelefoon in de gang stond. Straks belde er iemand, viel de urn eraf.

Lag de hele gang vol as.

Mijn vader stak zijn geschoren hoofd om de hoek.

'John. Daar ben je,' zei opa. Hij klonk koel. Ze gaven elkaar een hand.

In Friesland zeiden we nooit op die manier hallo tegen elkaar. Daar was je er gewoon.

En als je wegging zei je 'Nou hoi,' maar echt afscheid nemen met zoenen of handen schudden deed je niet.

Mijn vader vroeg of opa en oma nog iets anders wilden eten of drinken. 'Niet dat we veel hebben...' Hij lachte zenuwachtig en voegde er haastig aan toe: 'Anders wil Olivia wel even iets halen.'

Opa en oma zeiden dat koffie genoeg was.

Ik was blij dat hij zich had geschoren.

'Simon vertelde dat hij de urn had afgeleverd.'

Mijn vader knikte zonder opa aan te kijken.

'Ik ben blij dat je ons belde,' zei oma. 'We hadden dit niet willen missen.'

Mijn vader knikte weer.

Ik was verbaasd. Ik wist niet dat hij had gebeld.

'We wisten niet óf je zou bellen.' Er zat een hard randje aan opa's stem.

'Je liet niets horen, John,' zei oma. Zachtjes.

'Opa?' Het was mijn mond al uit voor ik het kon tegenhouden.

'Ja Olivia?'

'Wist je dat mamma op de kwartjestelefoon staat?'

Opa leek me niet te horen, zo strak keek hij voor zich uit.

'Laat ze maar even.' Oma aaide over mijn arm.

Er liep een traan over opa's wang. Als oude mensen huilden zag dat er erger uit. Vooral als ze 's ochtends vroeg al huilden. Vooral als het opa was.

'Laat mij de urn maar zien,' zei oma. Ik ging haar voor naar het gangetje.

We hadden tegen Sasha en Sonja gezegd dat we om twee uur zouden gaan varen, maar Sonja zou eerder komen. Dat had ze al van tevoren aangekondigd.

Sonja moest per se mee van mijn vader. Sasha moest per se mee van mij.

Straks zou Sonja met haar 'tadaa' de kapsalon binnen komen lopen. Ik wist zeker dat opa het zou afkeuren. Zo zeker wist ik het, dat ik al een beetje medelijden met Sonja had. 'Kom, we gaan terug,' zei ik tegen oma. Ik bedoel, zoveel was er nou ook weer niet te zien.

Daar kwam Sonja al. Ze droeg iets in een mand. 'Tadaa!'

Sonja zette de mand neer en gaf keurig een handje. Ze had ontbijt meegenomen.

'Het is lekker weer, laten we in de tuin gaan zitten,' zei mijn vader. Iedereen stond op behalve ik. De tuin was zo ontzettend leeg zonder boot. Zo rommelig ook. Met veel stenen en een beetje gras. Dat zouden opa en oma vast niet goed vinden.

De anderen liepen al naar de keuken.

'Snel gegaan,' hoorde ik Sonja zeggen. Ik wist niet of dat op hun relatie sloeg of op mijn moeders dood.

Ik liep naar de gang, tilde de urn van de kwartjestelefoon en liep met kleine stapjes terug de kapsalon in.

Ik ging ermee in de tandartsstoel zitten.

Straks zou die urn leeg zijn. Alleen een lege pot. We konden er misschien bloemen in doen.

Met de punt van een schaar van mijn vader wipte ik de dop van de urn. Er viel een beetje as uit. Best wit eigenlijk. En veel ook. Helemaal tot bovenaan vol.

Ik zou met de urn weg kunnen lopen. Al die grote mensen in de tuin en ik met de as van mijn moeder naar buiten. Sasha tegemoet lopen, misschien. Of naar de speeltuin. Of naar de haven alvast. Of stiekem een klein beetje verstoppen om te houden.

In de spiegel zag ik mezelf zitten met de urn op schoot. Ik keek naar mezelf met mijn nieuwe haar. Ik keek ernstig. In mijn buik voelde ik die kriebels weer. Van iets wat gaat komen, waar je niks aan kunt veranderen.

Dag mamma, zei ik vanbinnen. Niet omdat ik nu al afscheid wilde nemen, maar om alvast te oefenen.

Buiten hoorde ik de stem van opa. 'Je liet niets van je horen, John. Ben jij nou een volwassen vent?'

En toen mijn vader: 'Daar werk ik aan, het gaat steeds beter.' Hij had nog gelijk ook.

Het was vol op het Moederschip.

Ze schommelde ook veel meer dan normaal.

We zaten in een half rondje om het roer heen. Sonja en Sasha en opa en oma en ik en mijn vader. Mijn vader stuurde.

Ik zat tussen Sasha en oma in. Oma keek strak voor zich uit. Ze had een beetje watervrees, dus ze moest zich concentreren op de horizon, had ze me uitgelegd.

Opa hield de urn vast.

Omdat er maar weinig wind stond, voeren we op de motor naar het grote meer vlak bij de stad. Schele Nelie had ons opgewacht en trots laten zien dat hij het hele zeil had geboend. 'Ik weet wel dat er geen wind is vandaag, maar een schip hoort een schoon zeil te hebben.'

Op het eerste deel van het meer was het heel druk, het tweede deel was rustiger. We voeren net zo lang tot alle andere bootjes stipjes waren.

Toen gingen we voor anker.

Ik zat steeds met mijn voeten tegen de plastic rand onder de bank te tikken.

'Hou eens op,' fluisterde Sasha.

Zo'n sfeer was het, dat je als vanzelf ging fluisteren.

Mijn vader gaf het roer aan Sonja en kwam naast me zitten. 'Ik heb iets voor je.'

Hij gaf me een rood papieren tasje. Het soort tasje dat je in een chique modewinkel krijgt.

'Er zit iets anders in hoor,' riep Sonja vanaf het roer.

Eerst voelde ik knisperpapier: ook dat hoorde bij een chique modewinkel. Daaronder zat de jurk van mijn moeder.

Weer aan elkaar genaaid.

'Het viel best mee,' zei Sonja. 'Hij was langs de naden gescheurd.'

'Och,' zei oma. 'Die heb ik nog samen met haar gekocht. Wat was ermee gebeurd?'

Ik voelde mijn gezicht warm worden.

'Een ongelukje,' zei mijn vader. 'Ik had hem te ruw in een rugzak gestopt.'

Ik vouwde de jurk open en rook eraan. Niks geen onderbroe-
kengeur. Mamma. Zo rook ze.

'Lekker hè,' zei mijn vader.

'Mag ik ook ruiken?'

Het was Sasha, hij keek verlegen. Ik knikte. Hij rook en zei
dat het lekker was. Ik glimlachte naar hem. Hij glimlachte
terug, keek me heel even aan en toen gauw weer boven me,
naar de lucht.

Toen wilden opa en oma ook ruiken en ten slotte pappa en
Sonja. Dat was niet meer dan eerlijk.

Ik wilde de jurk weer opvouwen, maar oma zei: 'Waarom
probeer je hem niet?'

Ik wilde zeggen dat hij veel te groot voor me was.

Ik wilde zeggen dat ik geen jurken droeg. Dat ik niet iemand
was die jurken droeg.

Maar opeens wist ik dat niet meer zo zeker.

Toen ging ik de kajuit in en paste de jurk.

Hij was maar een heel klein beetje te groot.

'Wat lijk je toch veel op je moeder,' zei mijn vader met een
kreukelige stem toen ik weer naar buiten kwam.

Ik wilde een rondje draaien maar de boot wiebelde te erg,
waardoor ik half op Sonja viel.

Ze was heel zacht en ik fluisterde snel: 'Dank je wel.'

'Niets te danken,' fluisterde ze terug.

Mijn vader nam het roer weer over.

Ik hoorde Sonja haar neus snuiten.

'Wat een huilebalken zijn we toch,' zei ik en iedereen lachte
een beetje.

Daarna werden we stil.

Ingehouden adem.

Ik keek naar opa, die de urn vast had. Ik keek naar Sonja met haar rode oogjes.

'Mag dit wel?' fluisterde Sasha naast me.

'Dat maakt toch niks uit? We doen het gewoon.' Ik zei het stoerder dan ik me voelde.

Eigenlijk had ik ook mijn Tresemmé-schrift in het water willen gooien. Mensen deden vroeger ook hun mooiste bezit in het graf, omdat de dode op reis ging. Mijn moeder lag niet in een graf en haar urn was al op reis geweest, maar het leek me mooi, dat mijn schrift met haar mee zonk.

Ik had Sasha ervan verteld, van het schrift en mijn plan. Maar Sasha zei dat ik mijn schrift gewoon bij me moest houden. Dat het misschien ooit wel een boek werd. Dat ik dan rijk en beroemd werd en iedereen mijn vriend wilde zijn. 'En dan heb ik je de pen gegeven.'

'Ik heb al een vriend,' had ik geantwoord. Hij werd er knalrood van.

Het was tijd.

Opa stond stijfjes op, de boot wiebelde. Hij gaf me de urn.

Ik wipte voorzichtig de deksel eraf met de schaar van mijn vader die ik had meegenomen. Een beetje as waaide meteen al op.

'Zullen we het samen doen?' Mijn vader stond ook. Nu wiebelden we met zijn drieën.

Eerst viel er een klont uit, die op het water bleef liggen. We stopten om te kijken hoe een deel van de as zonk en een ander deel zich verspreidde. Daarna schudden we voorzichtig de rest uit de urn. We wachtten steeds tot er wat wind was, zodat de as eerst opvloog en dan neerdaalde. Dat vond ik mooi.

Er kwam ook een beetje as over ons heen, maar dat was niet erg, eerder fijn.

'Als je het maar niet in je hoofd haalt nooit meer te douchen, Olijf!'

Ik grijnsde naar mijn vader.

Het was zo voorbij.

'Champagne!' Sonja gaf ons allemaal een hoog smal glas en liet de kurk ploppen.

'Is dat niet wat erg feestelijk?' hoorde ik opa mompelen. Maar aan de grijns van mijn vader zag ik dat hij het een prima idee vond. Sasha en ik mochten ook een slokje.

'Dat ging snel hè?' zeiden we tegen elkaar.

Sonja gaf iedereen een deken, ook al was het niet echt koud. Ik zag dat oma haar extra lang aankeek en dat ze glimlachte toen ze de deken aannam.

Sasha hielp mee het anker ophalen. De motor startte in één keer.

'Rondje meer?' Mijn vader zei het zoals hij 'Fikkie stoken?' kon zeggen. Maar oma wilde terug.

We legden aan bij een lege steiger. Ik legde een Schele Nelie en liet oma zien hoe makkelijk dat was.

We propten ons met zijn allen in de auto van oma en opa. Ik zat bij mijn vader op schoot en Sonja zat voorin, anders had het echt niet gekund.

22

'Hoe vind je mijn zwembad?' vroeg mijn vader.

We zaten er met zijn allen omheen. Ik had mijn rode jurk uit-getrokken om hem niet vies te maken. Sonja had klapstoel-tjes voor opa en oma gehaald, wij zaten op de grond.

'Klein,' zei opa. Hij glimlachte en ik zag dat oma ook een beetje lachte.

Blijkbaar was de ergste ruzie over.

'Hoe vind je de tuin?' vroeg mijn vader.

'Tuin? Die hoop zand met sprietjes, bedoel je?'

Nu lachte iedereen.

We hadden de lege urn weer op de kwartjestelefoon gezet.

'Nu is ze weg,' zei mijn vader.

'Ze is niet weg.' Ik zei het voor ik had nagedacht.

'Waar is ze dan, Krump?' Hij aaide door mijn haar.

Ik haalde mijn schouders op. 'In ons. Of weet ik veel.'

'Goed gezegd,' zei opa, wat een enorm compliment was, want hij zei bijna nooit aardige dingen.

Sonja had koffie gezet. Er was cola voor mij en Sasha. Er waren ook chips, maar daar had niemand trek in.

We zaten om het zwembad en zeiden niks.

Toen gingen opa en oma weg. Oma fluisterde tegen mij: 'Die Sonja lijkt me best aardig. Heus.'

Ik zei niks, ik wilde niet dat ze wegging.

'Liefje.' Oma trok me een stukje weg van de anderen. 'Ik vind het ook snel, zo'n nieuwe vriendin. Gelukkig heb jij een nieuwe vriend om je te helpen. Onthou één ding: het is nooit precies zoals jij het wilt. Als je dat leert en er een beetje om kan lachen, dan' – ze gaf me een zoen – 'kun je de hele wereld aan.'

'Maar als het niet is zoals ik wil...' Ik begreep haar zoals gewoonlijk niet helemaal. 'Hoe zorg ik dan dat het wél wordt zoals ik wil?'

'Dat is het nou juist. Dat doe je niet. Je laat het zoals het is.'

'Je doet niks?'

'Helemaal niks.' Ze schudde haar hoofd. 'Je accepteert het.'

Ik denk dat ik er nogal verward uitzag, want oma glimlachte en zei: 'Geef het tijd.'

Opa en oma stapten in hun auto. Mijn vader en opa hadden elkaar opnieuw een hand gegeven. Het zag er veel vriendelijker uit.

'Goeie reis!' riepen we. En 'Rij voorzichtig!'

Toen waren ze de straat uit.

Hoewel het nog lang niet donker was en ook zeker niet koud, maakten we een vuur.

Sasha ontdekte een pissebeddennest onder een steen en ging erbij zitten.

Ik was heel leeg vanbinnen. Een beetje verdrietig, maar vooral leeg. Maar ik vond het niet zo erg om leeg te zijn. Misschien was dat wat oma bedoelde.

'Kijk! Chips!' Sonja haalde de zak tevoorschijn. We aten chips. Sonja en mijn vader dronken wijn.

Mijn vader had één arm om mij en één arm om Sonja heen geslagen.

'Ik heb een cadeautje voor je, Olijf,' zei mijn vader ten slotte en hij haalde zijn arm van Sonja af. Hij trok een grote luciferdoos uit zijn binnenzak.

Ik schudde eraan, maar hoorde niets.

'Voor mij?' Ik probeerde blij en nieuwsgierig te klinken, ook al zat er duidelijk niets in.

Misschien was het geld, bedacht ik toen en ik wilde de luciferdoos openschuiven.

'Niet doen,' zei mijn vader.

Ik keek hem vragend aan.

'Je moeder heeft het bedacht, dat je niet denkt dat het de zoveelste kinderachtige streek van je vader is. "Olivia snapt het wel," zei je moeder.' Mijn vader had mijn vrije hand gepakt. Hij had lekker warme handen.

Ik keek naar de hoge schutting om ons heen en naar de vonken die uit het vuur de lucht in vlogen.

Mijn vader trok me naar zich toe. 'Weet je nog, die laatste dag en dat jij even buiten moest wachten?'

Ik knikte.

'Je moeder had een verjaardagscadeau voor je bedacht.'

Ik leunde tegen hem aan en liet mijn lichaam slap worden. Als ik mijn hoofd iets schuin hield, hoorde ik zijn stem uit zijn buik komen. Een ronkend geluid.

'We zaten te bedenken wat nou een goed cadeau was, en toevallig had ik die morgen net het mooiste en grootste pak lucifers uit mijn lentevoorraad gepakt. Voor die ene kaars van je moeder, weet je wel? Waarvan de lont steeds verzoop.'

Ik knikte. De kaars was in Friesland achtergebleven. We hadden hem op oma's aandringen daar in de vensterbank gezet.

Mijn vader ging verder: '"Pak die luciferdoos eens," zei je moeder. Ik pakte de doos, gooide de lucifers weg en hield de lege doos voor haar gezicht. Want ze zei dat ik dat moest doen.'

Niemand zei iets. Het vuur kraakte. Eigenlijk zou dit een moment tussen mij en mijn vader moeten zijn, zonder anderen erbij. Maar zo was het niet.

Ik wilde de tijd stilzetten. Stoppen vlak voordat ik wist wat het cadeau zou zijn. Ging ook al niet. Ik keek naar Sasha, die met een takje in de pissebedden pookte.

Mijn vader schraapte zijn keel. 'Ik hield dus het doosje voor haar mond, en toen glimlachte ze.'

Het schrapen van Sasha's takje.

'En toen' – mijn vader trok me nog dichter tegen zich aan – 'deed ik het doosje snel dicht en was die glimlach gevangen. Ze zei dat ik hem aan jou moest geven voor je verjaardag.'

'Maar ik ben nog helemaal niet jarig.'

'Maar dat was je tóén wel.' Hij zoende mijn hoofd.

Ik keek naar het doosje. Daar zat mijn moeders glimlach in. Dacht mijn vader. Ik wist dat die glimlach allang was ontsnapt. Ik probeerde iets van 'tsss' te zeggen. Alsof mijn vader dacht dat een tienjarige zoiets geloofde. Ik hoorde mezelf vragen: 'Wat gebeurt er als ik het doosje opendoe?'

'Dan vliegt ze weg.'

'Komt er dan ook een wens uit?'

Mijn vader lachte zacht. 'Als jij dat wilt, dan is dat zo.'

'En als ik het dicht laat?'

'Dan is ze er als je haar nodig hebt. Ze praat met je. Ze past op je. Ze aait je over je hoofd.'

Ik ademde uit. Duwde mijn hoofd extra stevig tegen het brede lichaam van mijn vader.

De kriebels waren weg.

De tijdelijkheid was voorbij.

'Vind je het mooi?' vroeg mijn vader.

Ik zei 'Doe niet zo raaarrrr John,' en gaf hem van onderen een zoen op zijn zachte kin.

Hij huilde, maar dat kwam natuurlijk doordat ik hem raarrrr had genoemd.

Daar moest hij nou eenmaal altijd om huilen.